WITHDRAWN

CHARLES
DE GAULLE

Général de France

LUCIEN NACHIN

CHARLES DE GAULLE

Général de France

BERGER-LEVRAULT

Cet ouvrage a été publié pour la première fois
par les Editions Colbert en 1944

© Berger-Levrault, 1971

*Tous droits de traduction et de reproduction
réservés pour tous pays*

PREFACE

Ce livre n'est pas une besogne de commande et, pas davantage, œuvre de propagande. Il était projeté et préparé avant les événements de 1939. Il s'agissait alors, dans une étude synthétique, de faire connaître l'unité de pensée, la rigueur de méthode et l'exceptionnelle probité intellectuelle de celui que nous considérions, déjà, comme le plus représentatif de notre génération et que la fermeté de ses pensées, l'ampleur de ses vues comme la pénétration de son intelligence appelaient, nous le savions, aux plus hautes destinées.

Ce sont les éléments qui ont contribué à former cette conviction que nous voulons aujourd'hui mettre sous les yeux du public, afin que l'acte de foi de ce dernier soit aussi un jugement de raison.

Pour la rédaction des pages qui suivent, nous nous sommes référé à la correspondance que le général de Gaulle a échangée avec nous et avec notre ami commun, le lieutenant-colonel Emile Mayer. Nous avons puisé également dans les souvenirs manuscrits qu'ont bien voulu nous communiquer obligeamment de fidèles compagnons de carrière du général et parmi ceux-ci : Etienne Répessé, l'Intendant Général Ley, Jean Auburtin, avocat à la Cour de Paris, André Fleury et le colonel Rouget; que tous en soient cordialement remerciés.

Nous avons eu recours aux notes personnelles prises au cours des entretiens que nous eûmes avec lui, pendant la période d'interguerres. Les œuvres du général, constamment sous nos yeux, nous ont permis de suivre, pas à pas, toutes les étapes de sa pensée, et la consultation de son dossier militaire personnel, qu'il nous a été donné de voir, avant 1940, nous a renseigné sur l'appréciation de ses chefs.

Nous laisserons à des témoins mieux informés le soin de dire, un jour, ce que fut le rôle incomparable et prestigieux du général de Gaulle, depuis le 17 juin 1940 jusqu'aux heures de triomphe qui marquèrent son retour à Paris. Il ne manquera pas alors d'apparaître que toute cette période s'éclaire et s'explique parfaitement par la carrière antérieure de notre héros.

C'est pourquoi nous nous sommes limité à retracer celle-ci.

C'est aussi à dessein que nous avons écarté de cet essai biographique tout ce qui concernait sa famille, encore qu'il y ait beaucoup à dire à ce sujet. Mais, au point où les événements l'ont porté, le général de Gaulle nous paraît être de ceux qui : « semblables à ces étoiles extraordinaires dont on ignore les causes... n'ont ni aïeuls ni descendants, et composent seuls toute leur race ».

L. NACHIN.

AVANT-PROPOS

En dehors d'un milieu militaire ou politique assez restreint qui connaissait le général de Gaulle avant l'appel historique du 18 juin? Il avait pourtant pendant des années combattu pour une utilisation rationnelle des armées blindées, fait paraître un ouvrage « Vers l'armée de métier » dans lequel il prévoyait exactement la façon dont se passerait la prochaine guerre sans pouvoir hélas se faire écouter du commandement français, alors que les Allemands en adoptaient immédiatement les principes pour l'organisation de leur nouvelle armée.

Lorsque la situation devint désespérée on fit appel à lui. Il était malheureusement trop tard.

Le colonel Nachin qui était l'un de ses meilleurs amis, avec lequel il fut constamment en relation, croyait lui aussi à l'armée blindée et le général de Gaulle le tenait en haute estime.

Je n'en veux pour témoignage que la préface de la brochure qui fut éditée à sa mémoire par les Editions Berger-Levrault.

21 juin 1952

Lucien Nachin s'était fait lui-même et il s'était très bien fait. Cet homme de qualité ne supportait dans son être rien qui fût vil, ni qui fût bas. Je l'ai vu, soldat, chef, fonctionnaire, érudit, philosophe, parcourir les années, prendre part à deux guerres, plonger dans les événements, se mêler ardemment aux hommes, sans qu'il se soit sali, jamais!

Quelle vie pourtant! qui ne fut que recherche et passion de connaître. Tout ce qui touche l'esprit : idées, art, histoire, l'attirait, mais surtout la philosophie de l'ordre militaire qui était sa profonde vocation. Que de choses il a sues, ce lecteur infatigable, ce penseur qui cherchait en tout le principe, le système, ce visiteur qui pénétrait le meilleur de chacun! Que de choses il a données, s'empressant à être utile à ceux qui le méritaient, les guidant vers les trésors que lui-même avait découverts.

Il a vécu. Ce fut pour les autres, non pour lui. Et moi, qu'il a aidé maintes fois, jusqu'en ses dernières journées, je rends témoignage à la mémoire de Lucien Nachin, mon compagnon, mon ami.

Ch. DE GAULLE.

C'est moi qui avais fait la connaissance du capitaine de Gaulle, en 1915, alors qu'il était l'officier adjoint du colonel Boudhors au 33º Régiment d'Infanterie. Après la guerre je les avais présentés l'un à l'autre. Ils avaient été pris immédiatement d'une sympathie réciproque.

Nous nous réunissions alors, lorsque le commandant puis lieutenant-colonel de Gaulle était à Paris, tous les lundis, avec le colonel Mayer – alors à la retraite – mais qui continuait à s'intéresser à l'art militaire et avait su prévoir dans un article paru dans une revue militaire suisse, et cela dès 1910, que les armées françaises et allemandes incapables de s'enfon-

cer et de se tourner l'une l'autre finiraient par constituer un front continu qui s'étendrait de la mer jusqu'aux frontières de la Suisse.

De quoi parlions-nous? Un peu de politique, un peu de littérature, mais surtout d'art militaire.

Devant ces trois hommes d'une intelligence exceptionnelle, je faisais modeste figure, mais en ai-je appris des choses qui devaient se réaliser lors de la guerre 1939-1940, exactement comme mes trois amis l'avaient prévu! C'est du de Gaulle de cette époque dont parle ici le colonel Nachin. De cette époque où il lui livrait, en 1929 : « c'est toute l'amerture qu'il y a de nos jours à porter le harnais. Il le faut pourtant. Dans quelques années on s'accrochera à mes basques pour sauver la patrie ».

Ce de Gaulle que tant de gens admirent, mais qu'ils connaissent si mal.

Etienne REPESSE
Paris, 19 juillet 1971

CHAPITRE PREMIER

UN JEUNE OFFICIER

Etant de celles où l'on ne peut réclamer pour le hasard aucune participation, la carrière du général de Gaulle n'a peut-être pas offert cette soudaine illumination qui attire subitement les regards étonnés de la foule et provoque l'éclatante notoriété. Elle se signale, en revanche, par une exceptionnelle régularité. C'est une opinion unanime, parmi tous ceux qui ont fréquenté de près le général de Gaulle, qu'il était prédestiné à jouer le rôle qu'il tient aujourd'hui. C'est sans surprise qu'on l'a vu atteindre dans tous les emplois qu'il a tenus, dans toutes les missions qui lui furent confiées, au tout premier plan, loin en avant des autres. Il a pu être discuté par ceux qui ne l'ont pas connu, mais ceux qui l'ont approché ont vu tomber leurs préjugés et n'ont pu qu'être séduits par sa simplicité, sa courtoisie, son désintéressement et la franchise de son accueil, tout en subissant l'invincible attraction de son intelligence si plastique, de sa clarté d'esprit et de son jugement lucide.

Charles-*André-Joseph-Marie* de Gaulle est né à Lille le 22 novembre 1890.

De bonne heure, il se signala par son amour du travail aussi bien que par ses succès scolaires. On étudiait avec sérieux et application dans le milieu universitaire où il passa son enfance et où les disciplines rigoureuses étaient en honneur. La littérature, l'histoire y faisaient l'objet d'un culte spécial et traditionnel. Le grand-père, J.-P.-L. de Gaulle, est encore aujourd'hui réputé pour son édition de l'*Histoire de Saint-Louis* par Tillemont, destinée à la Société d'histoire de France et pour une « *Nouvelle histoire de Paris et de ses environs* » (1839). Le père du futur général, ancien élève de Polytechnique, avait également dirigé une institution libre d'enseignement secondaire à Paris et n'avait rien négligé pour que ses propres enfants servissent de modèle aux autres élèves.

Reçu au concours de Saint-Cyr en 1909, Charles de Gaulle dut, conformément aux règles nouvelles qui venaient d'être adoptées, accomplir une année de service militaire dans un corps de troupe comme soldat.

Dans l'esprit du commandement, cette mesure devait avoir pour objet de donner aux futurs officiers une idée pratique de ce qu'était la vie de la troupe, de les initier aux détails du service intérieur, de les dégrossir au point de vue de leur formation militaire élémentaire et de leur donner une connaissance personnelle des soldats et des gradés qu'ils auraient un jour à commander.

Le fait qu'après leur sortie du lycée, les jeunes gens admis à Saint-cyr devenaient officiers sans avoir eu un contact, même de courte durée, avec le milieu militaire, conférait à leur formation professionnelle un caractère exclusivement théorique. On était ainsi porté à reprocher à ces jeunes officiers, animés d'une incontestable bonne volonté, une ignorance de la psychologie de la troupe et une méconnaissance totale du soldat.

Mais le remède trouvé eut exigé que l'on fît choix, pour cette formation de l'élite, de régiments ou de bataillons d'une qualité éprouvée et que l'on confiât le soin d'assurer l'éducation militaire des futurs officiers à des cadres triés sur le volet et particulièrement réputés pour leurs aptitudes pédagogiques.

Rares furent les unités où ces préoccupations se firent jour. Les futurs Saint-Cyriens furent affectés à peu près au hasard et de Gaulle nous confiait, un jour, qu'il avait gardé un souvenir peu enthousiaste de ses instructeurs improvisés.

Sa vocation, fortement enracinée, eut néanmoins raison de toutes les tentatives involontaires faites pour qu'il prît en horreur le métier militaire. De son stage, il tira toutefois la conclusion qu'en prenant le contrepied des mesures dont il avait été victime, des résultats assez satisfaisants pourraient être escomptés.

Il entre à l'Ecole spéciale Militaire le 1er octobre 1910 et, d'emblée, sa personnalité s'affirme. Sa solide instruction générale, son aptitude au commandement, sa belle tenue dans le rang le font classer dans les dix premiers de sa promotion (1).

---

(1) Le major de cette promotion était le futur général Juin.

Prématurément mûri par la réflexion, c'est déjà un homme conscient des responsabilités qui vont lui échoir, imbu de l'efficacité des vertus militaires et fortement pénétré par toutes les antiques traditions de l'armée, à laquelle il est fier d'appartenir, c'est cet homme qui reçoit, à sa sortie de l'Ecole, en octobre 1912, l'épaulette d'or et le premier galon d'officier, insignes de son grade de sous-lieutenant.

Il a choisi le 33e Régiment d'infanterie, à Arras, avide d'y trouver un foyer d'instruction intensive et de forte discipline, dans cette 1re région de corps d'armée alimentée par les contingents du Nord dont les qualités martiales, la robustesse et l'endurance sont justement réputées.

Les charmes de la garnison, par contre, ne pouvaient être que minces dans cette ville de l'Artois, paisible et calme, figée dans une vie morne et laborieuse. Mais quelle tradition historique dans cette vieille cité guerrière, que de souvenirs évocateurs à l'ombre du beffroi ou sur les glacis de la citadelle! Un jour, de Gaulle verra spontanément se dresser, dans son imagination, toutes les armées qui assiégèrent ou défendirent Arras et quand, dans un raccourci saisissant, il écrira l'histoire militaire de la France, il n'aura qu'à évoquer les témoignages de ce lointain passé, les tribulations de cette ancienne place forte, de ce « boulevard de la Patrie » qui connut l'occupation étrangère, les souffrances des sièges prolongés, pour se donner fidèlement et définitivement à la France, au XVIIe siècle.

Depuis 1815, un régiment d'infanterie et un régiment de génie sont immuablement affectés à cette garnison. La qualité des cadres se ressent favorablement du fait qu'elle est recherchée en raison des relations rapides qui l'unissent à Paris.

En peu de semaines, notre jeune officier est acclimaté. On le remarque vite dans cette petite ville où, derrière chaque fenêtre, chaque étalage, des regards curieux épient les nouvelles figures. Comment ne pas retenir les traits si caractéristiques de ce sous-lieutenant très grand, très mince, élégant et soigné, au visage ouvert et grave et dont la démarche juvénile et alerte marque la confiance en soi comme le port de tête dirige le regard loin en avant, vers un avenir plein de promesses.

Il est plus facile de conquérir la ville que la caserne et nul sous-lieutenant au monde n'aura la prétention de croire que son entrée au quartier laissera une sensation durable. Combien d'officiers sont restés pendant de longues semaines à peu près inconnus dans leur propre régiment, sinon des hommes directement placés sous leurs ordres!

Mais le sous-lieutenant de Gaulle fera exception à la règle. Affecté à la 6ᵉ Compagnie, il inspire pleine confiance au capitaine Saliceti qui la commande. Charmé de l'entrain, de la bonne humeur, de l'ardeur apostolique du jeune officier qui lui est donné, celui-ci s'en remet à lui du soin d'instruire et d'éduquer le contingent de la classe 1912 en cours d'incorporation.

A cette tâche, de Gaulle se consacre avec passion. Il aime ces mineurs râblés, ces paysans patients, ces hommes au langage rude, au patois imagé, qui se livrent difficilement mais se donnent tout d'une pièce, et pour toujours, au chef qui les a conquis.

La correction irréprochable de sa tenue, le soin qu'il a de connaître individuellement ses recrues, sa mémoire infaillible, sa bonne grâce, mais aussi sa présence permanente à tous les exercices, son attitude ferme et militaire, la concision de ses ordres, le désignent promptement à l'attention générale. Il travaille ses exercices, il applique un programme, il forme des cadres, il leur communique le feu ardent qui l'anime et sa réputation dépasse vite le petit coin d'esplanade réservé à l'instruction de sa compagnie. On parle de lui, pour le louer ou pour le discuter, mais avec cette nuance d'admiration et de respect que provoquent la compétence et la maîtrise marquée, chez les soldats, par un salut plus vigoureux et une petite flamme dans les yeux, quand ils vous regardent.

Les sous-officiers, dont le rôle est primordial dans la formation élémentaire des recrues, n'ont pas vu, sans une certaine appréhension et une réelle émotion, cette intervention d'un jeune officier dans leurs attributions. Mais, à force de doigté et de délicatesse, les préventions tombent au fur et à mesure que les cadres observent la disparition de la monotonie des exercices fastidieux, la pratique de l'initiative et l'usage des cas concrets. Dès lors, ce sera entre gradés une rivalité de zèle pour seconder, de leur mieux, l'action pédagogique de leur chef.

Chaque semaine, pendant que les troupiers vaquent à des travaux d'entretien et de réparations, de Gaulle réunit les cadres de la compagnie et, dans un entretien sans apprêt, livre à la sagacité de chacun la résolution de problèmes tactiques élémentaires en rapport avec le programme d'instruction en cours. Ainsi, les esprits s'assouplissent, s'accoutument à l'usage d'une méthode; les gradés s'astreignent à rédiger des ordres en même temps qu'ils voient s'affermir en eux la confiance dans leurs ressources et que s'accroît leur prestige.

La troupe est l'objet d'une attention toute spéciale. Du rôle social de l'officier, de Gaulle est imbu plus que tout autre, peut-être. De longue main, il s'est préparé à ce métier de conducteur d'hommes et de professeur d'énergie. L'enseignement paternel l'a familiarisé avec la psychologie; les lectures et la réflexion l'ont accoutumé à envisager le problème social sous tous ses aspects. Sur le plan moral, il considère sa mission comme un sacerdoce. Il trouve, dans la générosité de son cœur, l'élévation de ses sentiments, les mots justes qui réconfortent les défaillants et qui soulagent les déshérités.

Un mois ne s'était pas écoulé depuis son arrivée au 33e régiment d'infanterie que toute la garnison savait qu'il existait, à la

6ᵉ Compagnie, un instructeur extraordinaire doublé d'un psychologue consommé. Ceux qui n'avaient pas le bonheur de servir sous ses ordres s'honoraient de le connaître; ses camarades étaient charmés de sa gentillesse et de son entrain et ses chefs se flattaient déjà de discerner dans ce jeune officier, sobre de gestes, réservé en paroles, un homme qui ferait peut-être parler de lui.

A la fin de cette première année d'instruction, il convia à dîner les jeunes « cyrards » qui venaient d'accomplir leur année de service au régiment, avant d'entrer à l'Ecole Spéciale Militaire. Là, dépouillant l'appareil austère de l'officier en service commandé, il se montra aux futurs officiers comme un ancien averti, amical, encourageant et indulgent. Puis, avec une émotion croissante, il définit pour eux, en termes élevés, les devoirs de l'officier, la tâche qui leur incombait, la grandeur de la carrière qu'ils avaient embrassée et la mission qu'ils seraient appelés à remplir, même au prix du sacrifice suprême.

Ceux qui étaient présents à ce repas, et qui ne sont pas tombés au cours de l'une ou l'autre guerre, peuvent-ils ne pas se rappeler, sans un sentiment ému, l'impression que fit sur eux le jeune « ancien » qui avait eu, le premier, cette heureuse initiative de les réunir et de leur tracer le chemin qu'ils auraient à suivre toute leur vie?

Les débuts du sous-lieutenant de Gaulle dans la carrière militaire coïncident avec la prise de commandement du régiment par le Colonel Pétain. Singulier hasard que celui qui place, aux deux extrémités de la hiérarchie des officiers du même corps, d'une part, ce colonel à la stature impressionnante, au visage énigmatique, personnalité alors animée d'une froide énergie, d'un dynamisme incomparable, d'une originalité déjà légendaire, prestigieux, autoritaire, orgueilleux, qui, voyant à brève échéance se clore une carrière sans éclat, ne se souciait de ménager ni les personnes, ni les usages, et, d'autre part, ce sous-lieutenant de vingt et un ans, dont la réceptivité et la plasticité intellectuelles s'alliaient à une culture générale étendue et à un juvénile enthousiasme pour la carrière qu'il avait délibérément choisie!

CHAPITRE II

A L'ECOLE DE LA GUERRE

Le 2 août 1914, Charles de Gaulle, promu lieutenant le 1ᵉʳ octobre 1913, sert au 1ᵉʳ Bataillon du 33ᵉ R. I.

La 2ᵉ division d'infanterie, à laquelle appartient le 33ᵉ, est une des premières engagées, le 15 août 1914, devant Dinant, sur la Meuse. Légèrement blessé, le lieutenant de Gaulle est évacué mais n'a de cesse que sa convalescence s'achève pour rejoindre son corps.

Il le retrouve en Champagne, décimé par trois mois d'une campagne ardente qui a, en grande partie, renouvelé les cadres et la troupe. Mais ce qu'il en reste n'a pas oublié le sang-froid au feu, le mépris du danger que le jeune officier a montrés en Belgique. Sa réputation est telle que le colonel Claudel, qui commande le Régiment, l'appelle près de lui comme adjoint.

Dans cette guerre de position qui commence, les fonctions qui lui sont attribuées pourraient le confiner à une tâche presque exclusivement administrative. La paperasserie a repris ses droits, mais de Gaulle a, de son rôle, une toute autre conception. Il pense que le commandant du Régiment doit ne disposer, pour prendre ses décisions, que de renseignements vérifiés et éprouvés et que l'officier-adjoint a pour devoir de préciser toutes les questions sur lesquelles un doute peut encore planer.

Dans toute l'étendue du secteur attribué au Régiment, le lieutenant de Gaulle se déplacera donc, des arrières jusqu'au delà des barbelés de première ligne, pour contrôler les renseignements recueillis.

Le 20 janvier 1915, il est cité à l'ordre de la 2ᵉ division dans les termes suivants : *« A exécuté une série de reconnaissances des positions ennemies dans des conditions périlleuses et a rapporté des renseignements précieux. »*

Le 18 février de la même année, il est nommé capitaine à titre temporaire. Le colonel Claudel ayant été désigné pour prendre un autre commandement, son successeur, le lieutenant-colonel Boudhors, le conserve comme adjoint et c'est en cette qualité que de Gaulle prend part à la bataille de Champagne.

Cette opération de « déchargement » est entreprise pour soulager les Russes qui succombent en Pologne. De notre côté, l'artillerie lourde est inexistante, les munitions sont rares; en face, l'ennemi est protégé par d'épais réseaux de barbelés dans lesquels nous sommes impuissants à faire brèche. Les assauts sont coûteux et infructueux, les gains insignifiants, les pertes énormes, les résultats décevants. De Gaulle enrage devant l'entêtement du commandement à sacrifier, sans profit, les rares éléments qui subsistent encore de l'armée de 1914. Son tempérament ne l'incite pas à l'indulgence, ni à la modération quand il faut protester contre ces hécatombes inutiles.

Vis-à-vis des états-majors passifs, il entame une lutte d'une rare violence contre la sanglante incompréhension aboutissant à ces sacrifices stériles.

Une seconde blessure reçue au cours de la relève, près de Mesnil-les-Hurlus, l'oblige à quitter le front où il reviendra guéri, cinq mois après, pour reprendre, en fin juillet 1915, sa place auprès du colonel.

Le 33ᵉ est alors en secteur à la cote 108, de tragique mémoire, près de Berry-au-Bac. La hauteur est le théâtre d'une effrayante guerre de mines. Un matin, vers 5 heures, une formidable explosion retentit, faisant trembler le sol à plusieurs centaines de mètres à la ronde : une mine vient d'exploser, ouvrant un gigantesque cratère. Qui est maître des lèvres de l'entonnoir? Le téléphone est coupé; attendre l'arrivée d'un agent de liaison est trop aléatoire! Notre bouillant capitaine n'est pas homme à vivre dans cette incertitude. Un quart d'heure après, il est sur place, il a regroupé les éléments dispersés par la déflagration et poussé un poste d'observation sur les bords. Tout danger de surprise écarté, il rentre au poste de commandement et rend compte de sa mission.

Quelques jours plus tard, le 4 septembre 1915, il est nommé capitaine à titre définitif.

Renouvelant alors la demande qu'il a déjà plusieurs fois présentée à son chef : prendre le commandement d'une compagnie, il obtient, le 30 octobre 1915, d'être placé à la tête de la 10ᵉ Cⁱᵉ qu'il a déjà commandée par intérim et dont il fera rapidement la plus belle unité du 33ᵉ R. I.

Dans le secteur de la ferme du Choléra, qu'il occupe, on le voit, à tout instant, parcourir tranchées et boyaux sans daigner courber sa haute taille quand sifflent les projectiles. Sa bravoure et son « cran » sont légendaires et, de l'aumônier au dernier des soldats, tous sont fiers des quelques mots d'entretien réconfortants qu'il a avec chacun d'eux.

Un jour, au cours d'une inspection, en compagnie de ses lieutenants, un minenwerfer lance une torpille qu'ils aperçoivent nettement basculer au-dessus d'eux. Les deux officiers se couchent; lui, reste debout attendant l'explosion. Quand la fumée est dissipée, il leur dit ces simples mots : « Vous avez eu peur, Messieurs? »

Et puis, c'est Verdun, en février 1916.

Le 1ᵉʳ Corps d'armée y est envoyé d'urgence en renfort, dès le début. A peine débarqué des camions qui ont enlevé les unités du Tardenois, le régiment monte en ligne à Douaumont, en plein centre de la bataille.

Voici, à ce sujet, un extrait du carnet de route du lieutenant-colonel Boudhors, commandant le Régiment :

« *L'ordre me parvient d'avoir à relever le 110ᵉ R. I. et j'estime devoir envoyer immédiatement un officier au P. C. du général Lévi qui commande le secteur, pour prendre sur place tous les renseignements possibles. Vu la gravité de la situation, vu l'importance que j'attache à cette mission, je pense que seul le capitaine de Gaulle est capable de la remplir. Il reprendra le commandement de sa compagnie quand celle-ci arrivera sur ses positions de combat.* »

Ainsi, au moment le plus critique, c'est à ce jeune capitaine de 25 ans que le colonel confie la mission délicate de prendre les ordres et de suggérer les mesures à prendre. L'ayant fait travailler à ses côtés, il connaît la rectitude de son jugement et la netteté de ses vues. Il écrit quelques jours plus tard :
« *Grâce à lui, tout se passe au mieux, tant pour mes unités que pour moi-même et si le 33ᵉ a été splendide devant Douaumont, il ne le doit à son colonel qu'en raison de la clairvoyance du capitaine de la 10 Cⁱᵉ.* »

Au cours du combat terrible que le Régiment livre pendant six jours consécutifs, le

3ᵉ Bataillon est fort éprouvé. Le 2 mars, la 10ᵉ Compagnie est pratiquement anéantie. Ce qui reste de survivants, après l'infernal bombardement qui s'abat sur le village de Douaumont et de ses abords, est fait prisonnier.

Mais, la belle attitude de son chef a eu assez de témoins pour justifier la magnifique citation qui lui sera attribuée, en même temps que lui sera décernée la croix de chevalier de la Légion d'honneur.

« *Le Capitaine de Gaulle, commandant de compagnie, réputé pour sa haute valeur intellectuelle et morale, alors que son bataillon, subissant un effroyable bombardement, était décimé et que les ennemis atteignaient la compagnie de tous côtés, a enlevé ses hommes dans un assaut furieux et un corps à corps farouche, seule solution qu'il jugeait compatible avec son sentiment de l'honneur militaire. Est tombé dans la mêlée. Officier hors de pair à tous égards.* »

Emmené en captivité, le capitaine de Gaulle fut interné à Friedberg, puis au fort IX, à Ingolstadt.

Après l'armistice, courant décembre 1918, il fut rapatrié et rejoignit, pour peu de temps, le dépôt de son régiment, dans le Limousin.

Les heures de captivité, si longues et si déprimantes, coupées par la préparation minutieuse et furtive de cinq tentatives d'évasion, avaient été largement mises à profit par le studieux officier pour se perfectionner dans l'étude des langues et développer ses connaissances générales. Il réunissait une abondante documentation sur les principaux événements politiques et militaires de la guerre mondiale en même temps que, par une réflexion concentrée, il s'efforçait de coordonner les enseignements qu'il convenait d'en retirer.

L'auditoire international du fort IX a gardé l'impérissable souvenir de conférences lumineuses au cours desquelles le capitaine de Gaulle faisait, pour ses camarades, la synthèse des événements militaires en cours.

Mais, en dépit de l'ardeur qu'il apportait à tromper l'ennui qui le harcelait, le capitaine de Gaulle ne pouvait manquer, au cours de ces interminables loisirs, de maudire le sort fâcheux qui avait si vite et si complètement interrompu sa carrière de combattant. Qui d'entre nous, au cours de ces journées monotones de captivité, n'a pas rongé son frein en pensant aux luttes ardentes qui se déroulaient sur la Somme, à Verdun, sur l'Aisne, en Champagne, en Orient. En nous libérant des geôles allemandes, l'Armistice ne nous faisait que plus durement sentir ce que cette existence de détenus avait eu pour nous de factice et d'inutile.

Aussi, de Gaulle n'a-t-il de cesse de pouvoir à nouveau prendre part à des opérations actives, là où l'on se bat encore. Il obtient d'être affecté à l'une des divisions de chasseurs polonais qui sont organisées en France par le général Joseph Haller.

En mai 1919, il part de Sillé-le-Guillaume avec le 5e Chasseurs polonais et débarque à Modlin (Novo-Georgiewsk) pour prendre part aux opérations de Wolhynie. En juillet, l'offensive russe est définitivement rejetée et le Gouvernement polonais va s'efforcer de fondre, en une armée nationale, tous les éléments démobilisés qui lui arrivent des différents points de la nouvelle Pologne.

Une école de formation et de perfectionnement des officiers de l'armée Haller est organisée à Rembertow, à quelques kilomètres de Varsovie et installée dans un camp permanent de l'ancienne armée impériale russe. Le colonel Mercier, de l'Infanterie coloniale française, qui en avait pris le commandement, confia au capitaine de Gaulle l'enseignement théorique et pratique de la tactique des petites unités d'infanterie.

De Gaulle s'y distingua immédiatement par son autorité, sa compétence et un sens inné des enseignements à tirer de la guerre 1914-1918.

Ses conférences sur l'emploi tactique de l'infanterie et des chars en liaison étroite avec l'aviation, ne tardent pas à attirer sur lui l'attention du général Stanislas Haller (cousin du général Joseph Haller), chef d'état-major général de l'Armée polonaise et du maréchal Pilsudsky, Président de la République Polonaise.

Le capitaine de Gaulle fut proposé pour faire partie du cadre des professeurs de la future Ecole de Guerre polonaise dont la création venait d'être décidée à Varsovie. Il y était chargé du cours de tactique d'infanterie lorsqu'une décision du Ministre français de la Guerre l'affecta à l'Ecole Spéciale Militaire de Saint-Cyr pour y professer, en qualité d'adjoint, un cours d'histoire militaire, à partir du 1er octobre 1921.

CHAPITRE III

PREMIERS ESSAIS

Une telle désignation, en dehors de ce qu'elle a de flatteur pour un officier qui vient d'atteindre la trentaine, ne surprend pas le capitaine de Gaulle. De longue date, il s'est préparé à ces fonctions délicates.

A ses origines, à sa culture, à sa formation professionnelle, il est redevable d'une tendance à l'esprit rétrospectif dont l'influence sera considérable sur l'évolution de son intelligence et l'orientation de son activité. Loin de céder à l'habitude si fréquente de s'imaginer le passé sous les aspects actuels et de prêter aux hommes d'autrefois les idées, les principes, les jugements que nous inspirent les faits contemporains, il s'accoutume à restituer à chacune des générations étudiées ce qui leur appartient en propre : mœurs, institutions, coutumes, traditions et costumes. Inversement, ayant dépouillé l'organisation militaire d'aujourd'hui de tout ce qu'elle avait, à son insu, d'emprunté au passé, il discerne, avec une clarté merveilleuse, ce qui constitue son originalité, ce qui doit être cultivé avec soin et risque d'être étouffé, si un jardinier avisé n'y porte à temps le sarclage indispensable.

Mais l'histoire, qui est la meilleure des gymnastiques intellectuelles lorsqu'elle est pratiquée avec une méthode rigoureuse et un absolu désintéressement, peut conduire aux pires dérèglements lorsque ses conclusions cessent d'être confrontées avec la réalité.

Ici, le professionnel que la guerre a confirmé sait, à chaque instant, rapporter ses acquisitions à son expérience vécue. Il apprend à donner de l'importance à des faits en apparence minuscules tout en sachant les rattacher à une vue générale, à allier la hardiesse des vues à la réserve des interprétations, la précision dans la recherche avec le juste degré d'indétermination où il faut savoir s'arrêter au moment d'entreprendre la synthèse.

Mais il y a plus : le professorat oblige l'homme d'étude à transmettre à son auditoire le résultat de ses recherches. Par la parole, un contact direct doit s'établir entre le maître et ses élèves. Il ne s'agit plus seulement d'acquérir des vues originales mais encore d'exposer avec netteté, par des traits qui portent, des images évocatrices, des jugements clairs, un système cohérent, équilibré, véritable corps de doctrine et cela, devant un auditoire très particulier.

Les élèves de l'Ecole Spéciale Militaire de Saint-Cyr ont apporté, du fait de leur admission, la preuve de la bonne formation historique qu'ils ont reçue dans leurs « corniches » par les soins de maîtres réputés. Les comparaisons seront donc promptes à s'établir; l'auditoire, surmené par les exercices physiques intenses, n'apporte pas toujours aux cours l'attention nécessaire et se laisserait volontiers aller à une torpeur réparatrice à moins que, mis en gaieté par quelque manie du professeur ou par quelque « erreur » retentissante, il laisse trop libre cours à sa propension pour la manifestation bruyante.

Le nouveau professeur n'a pas à craindre ces écueils. D'emblée, il a son auditoire en main. L'autorité qui se dégage de sa personne, le prestige qui l'a précédé, la largeur de ses vues comme la nouveauté de ses idées, l'éloquence châtiée dont il ne se départit pas, aussi bien que son élocution parfaite et la sobriété discrète de ses gestes, révèlent aussitôt un maître qui devient l'idole de ses élèves.

De Gaulle est professeur-né et pourtant, il faut encore qu'il redevienne élève.

Pendant qu'il était en Pologne, l'Ecole Supérieure de Guerre de Paris a réouvert ses portes. Trop jeune pour pouvoir être candidat avant la guerre, n'ayant pas, au cours de celle-ci, servi dans un Etat-Major, de Gaulle ne peut faire partie des deux premières promotions. Tout en poursuivant son professorat à Saint-Cyr, il prépare le concours qui s'ouvre pendant l'hiver 1921. Il est reçu d'emblée et il entre à l'Ecole de Guerre en novembre 1922.

Le capitaine-élève frappe d'admiration ses professeurs et ses camarades par sa maturité d'esprit, la fermeté de ses opinions, la personnalité de ses jugements et aussi l'indépendance, parfois frondeuse, de ses vues.

S'il est impossible, à l'issue des cours, de ne pas le classer parmi les brevetés les mieux notés, tout au moins fait-on jouer contre lui certaines nuances, évoque-t-on certaines raideurs, une intransigeance qui pourrait lui nuire s'il n'en tempérait pas les effets, des manifestations de libre critique qui sont difficilement tolérées. Alors que les premiers de la promotion sont, en principe, affectés à l'Etat-Major de l'Armée, de Gaulle est désigné pour l'Etat-Major de l'Armée du Rhin, à Mayence : ce qui, tout compte fait, est encore une désignation de grand choix sur laquelle personne ne peut se méprendre.

De ces détails un peu mesquins, de Gaulle n'a cure. Il est maintenant pourvu de tous les « sacrements » exigés dans le métier militaire pour y faire une brillante carrière. Pas un instant, au cours des deux années d'études qu'il vient d'achever, il n'a cédé à l'engouement irréfléchi et qui met, avant tout, l'accent sur les mesures d'organisation, qui porte à ne voir dans les batailles de la dernière guerre que des chocs de matériels. Il a trop vécu la vie du combattant, il a trop gravi le calvaire du fantassin pour oublier que toute la guerre est affaire de moral. Lutter contre la peur, exalter le moral de ses troupes et déprimer celui de l'adversaire : tels sont, en définitive, les points qu'il convient de méditer après la guerre. C'est alors qu'il écrit : « *Hélas! vous le savez, dans l'armée d'à présent comme dans celle de naguère, on n'a point le goût de la méditation. L'habitude, l'amour du travail sans âme, proprement nommé « d'Etat-Major », en détournent trop aisément les esprits.* »

Lui, n'a cessé de méditer et, de sa captivité, des rares instants de loisirs que lui laisse l'existence mouvementée qu'il mène depuis cinq ans, il tire, comme fruit de ses lectures et de ses réflexions, une substantielle étude de psychologie intitulée « *La discorde chez l'ennemi* » (1).

L'ouvrage comporte cinq parties : *la désobéissance du général von Klück — la déclaration de guerre sous-marine — les relations avec les Alliés — la chute du chancelier Bethmann-Hollweg — la déroute du peuple allemand*. Dans l'examen de ces questions, de Gaulle ne s'attarde pas à l'aspect historique du problème, mais essentiellement au côté

---

(1) « La discorde chez l'ennemi », par le capitaine Ch. de Gaulle. 1 vol. in-4°, VIII, 140 pages. Berger-Levrault, éditeur, 1924.

psychologique. Du comportement des principaux acteurs de ces drames, il va tenter de tirer des enseignements sur la conduite de la guerre, sur les qualités à exiger des chefs, sur l'importance des idées philosophiques qui inspirèrent les dirigeants comme les exécutants.

Pour faire éditer son livre, il attendit que les principaux personnages qu'il mettait en scène eussent publié leurs « Mémoires » afin de confronter leurs affirmations.

Le livre parut en 1924 et fut bien accueilli, autant pour sa belle tenue littéraire et la limpidité de ses exposés que pour la frappe nette des jugements et la sensibilité psychologique dont l'auteur témoignait vis-à-vis de la mentalité teutonne.

S'il rendait hommage aux indéniables qualités dont les Allemands avaient fait preuve pendant le cours de la Guerre, il n'en était que plus à son aise pour souligner l'aberration de leurs dirigeants, militaires et civils, le désarroi du gouvernement qui, après avoir exalté l'opinion publique au delà de toute mesure, par la promesse décevante de triomphales victoires, se montrait, en face de la défaite, incapable de diriger les masses populaires, de rassurer ses alliés et de briser l'élan de ses adversaires.

Ce premier essai de littérature militaire révélait un écrivain de race, maître de sa plume et de sa pensée en même temps qu'il attirait l'attention des spécialistes sur un problème très imparfaitement traité jusqu'alors : les rapports entre la politique et la conduite des opérations et la nécessité de subordonner celle-ci à celle-là.

CHAPITRE IV

AUPRES DU MARECHAL

Au cours de l'année 1921, la Chambre des Députés avait abordé un vaste problème législatif relatif aux questions militaires. La première loi venue en discussion avait été, comme de coutume, la loi de Recrutement. Cette loi fondamentale donne généralement lieu à des débats passionnés. Les thèses qui s'affrontent, les critiques adressées aux systèmes anciens, l'économie des projets présentés fournissent une ample matière à de belles joutes oratoires. La presse y fait écho et la polémique, dépassant l'arène parlementaire, vient toucher le grand public. Toute une littérature se greffe sur cette importante question qui, non seulement conditionne l'organisation militaire mais encore, par mille incidences, touche aux intérêts vitaux du pays.

Or, en 1921, la discussion du projet de loi déposé par le gouvernement ne donna lieu qu'à des débats insignifiants; la discussion en fut pratiquement nulle et l'examen de l'ensemble des dispositions s'opéra dans une indifférence presque totale.

La raison en était visiblement le désarroi des esprits devant la complexité des données, l'incompétence du Parlement à discerner l'importance des éléments nouveaux apportés par l'expérience de la guerre et enfin, l'abdication totale de la Commission de l'Armée devant les propositions formulées par l'Etat-Major de l'Armée. Tout le monde avait le sentiment que le nouveau projet de loi ne brillait par aucune nouveauté, répondait mal à ce qu'on attendait de lui et ne résolvait en rien les problèmes nés de la guerre, mais personne ne se souciait d'opposer, à ces banalités, un ensemble à la fois cohérent, hardi et constructif.

De toute évidence, il eût fallu qu'une haute autorité militaire, d'un indiscutable prestige et d'une expérience consommée, tirât, des événements récents, un large enseignement philosophique. Après l'analyse des causes qui, pendant si longtemps, faillirent compromettre la victoire et nous firent même frôler la défaite, l'examen des remèdes apportés et la fixation des buts qu'on se proposait d'atteindre finalement eussent éclairé l'opinion parlementaire et le pays tout entier, sur le travail à entreprendre pour éviter, dans l'avenir, le retour d'une crise aussi grave.

Le maréchal Pétain, Inspecteur général de l'Armée, Vice-Président du Conseil Supérieur de la Guerre était, à tous égards, le plus qualifié pour rédiger cette étude qui aurait eu, pour le moins, un retentissement et une efficacité semblables à ceux qu'avait eus le livre fameux du général Morand : *« L'armée selon la Charte »,* sous la Restauration.

Une telle publication aurait eu, tout au moins, pour effet, non seulement d'éclairer la nation, mais encore d'offrir, par ses conclusions pratiques, une base solide à une discussion féconde.

Sondé à ce moment, le maréchal Pétain répondit qu'il avait effectivement bien réfléchi à ce problème; qu'il avait ses idées sur cette question mais que, le Ministre de la

Guerre n'ayant pas cru devoir le consulter, il s'était abstenu d'émettre son opinion.

Néanmoins, cette position par trop neutre ne semblait pas devoir être maintenue. Le maréchal se décida enfin à donner suite à la suggestion qui lui avait été présentée par son chef de cabinet, le lieutenant-colonel Bouvard, et l'idée prit corps de résumer l'évolution de nos institutions militaires sous la forme d'une série de tableaux littéraires représentant l'armée française à travers les âges. Une suite de coupes horizontales dans le temps, à certaines époques caractéristiques, devaient présenter au public, sous une forme concrète, l'ensemble des dispositions concourant à exalter le moral du soldat, justifiant ainsi les succès remportés par nos armes. Dans les conclusions de cette étude, eussent été formulés les principes qui devaient dominer toute la réorganisation projetée.

C'était peut-être aller chercher loin le résultat à atteindre; c'était certainement aussi trop tardif pour avoir l'efficacité attendue, mais l'opinion du maréchal Pétain sur ces questions primordiales n'en était pas moins intéressante à recueillir.

Le lieutenant-colonel Bouvard avait été

chargé, par le maréchal, de réunir les éléments de cette étude, mais il dut décliner la mission offerte car il était sur le point de quitter l'armée. La suggestion fut alors faite de confier le travail à un jeune officier remarquablement doué pour les études historiques, servi par les plus beaux dons de l'intelligence et qui, personnellement connu du maréchal, serait mieux placé que quiconque pour interpréter sa pensée : le capitaine de Gaulle.

Mais, à cette époque, de Gaulle n'était pas disponible. Force était donc d'attendre qu'il fût sorti de l'Ecole de Guerre où il était alors stagiaire et qu'il eût servi un certain temps dans un Etat-Major. C'est ainsi qu'au cours de l'année 1925, une mutation effectuée sur la demande du maréchal Pétain, affecta le capitaine de Gaulle au Cabinet du Vice-Président du Conseil Supérieur de la Guerre. Au début d'octobre 1925, le capitaine de Gaulle revenait à Paris et s'installait dans un bureau du 4 *bis,* boulevard des Invalides.

Ce n'était pas une sinécure qui l'attendait. Dès son entrée en fonction, il recevait les directives générales sur l'étude à entreprendre, mais, en même temps, il était chargé d'un travail spécial sur l'organisation du territoire en temps de guerre.

Ici encore, de Gaulle n'était pas pris à l'improviste. De son séjour à l'armée du Rhin, il rapportait la conviction ferme que les Allemands n'avaient pas accepté la défaite. Si donc le moment était venu d'entreprendre une réorganisation totale de nos institutions militaires, il fallait aussi se garder contre un adversaire toujours disposé à profiter de notre faiblesse. Il écrivait à cette époque : « *Peut-être, en effet, sans doute même, sommes-nous plongés dans la nuit qui précède l'aurore d'un monde nouveau, à la fin, en tous cas, de celui que nous avons connu. Cependant, il faut vivre et il est bien probable que pour vivre, il faudra quelque jour combattre c'est-à-dire affronter les armes de l'ennemi et lui faire sentir la vigueur des nôtres. Pour ma part, je ne renonce pas à m'y préparer.* »

D'abord la sécurité; et c'est pour assurer, avant toute chose, l'inviolabilité de notre frontière et l'exécution de notre mobilisation, que le Conseil Supérieur de la Guerre proposa la création d'une vaste région fortifiée sur toute la partie où notre frontière était mitoyenne à celle de l'Allemagne. Le projet, qui sera revendiqué ensuite par Painlevé et

Maginot, doit être présenté au pays d'une manière telle que celui-ci ne s'alarme pas des mesures de précautions qui vont être prises.

De Gaulle est chargé d'exposer, dans une large synthèse historique, le rôle joué par la fortification permanente dans la défense du territoire français, au nord et à l'est, depuis que l'unité nationale étant réalisée, la France a atteint sensiblement les limites qui sont aujourd'hui les siennes; à quelles préoccupations répondaient les systèmes de défense permanente qui furent adoptés et, enfin, quels avantages la patrie a retirés de ces organisations.

L'article parut dans la *Revue Militaire Française* du 1er décembre 1925 (1). Il provoqua une grande sensation dans le monde militaire. Faisant abstraction de toute considération technique propre aux moyens et aux circonstances, l'auteur, avec une grande sobriété, s'attachait uniquement à dégager ce qu'il y avait de constant dans l'utilité des places et l'économie générale du système de

---

(1) « Rôle historique des places françaises », par le Capitaine de Gaulle. *Revue Militaire française,* n° 54 du 1er décembre 1925, pp. 356 à 382, Berger-Levrault.

fortification utilisé en France afin de justifier la conclusion que : « *la fortification de son territoire est, pour la France, une nécessité nationale permanente* ».

La discussion des faits y est menée avec une maîtrise impressionnante. L'auteur domine son sujet, et de très haut. Il pressent toute la fragilité de notre nouvelle frontière du côté de la Belgique, la force et les ambitions des Allemands, l'appel alléchant que Paris constitue pour eux et, en termes émouvants, il conjure les politiques et les militaires de reconnaître ces faits dans le passé, comme de préparer la défense dans l'avenir.

« *Une porte,* dit-il, en terminant, *a livré passage à tous les malheurs qui frappèrent la France à travers son Histoire : c'est la porte par où avaient fui les enseignements du passé.* »

On chercherait vainement dans toutes les revues militaires de cette période, dans toutes les publications techniques qui furent éditées dans les dix années qui suivirent l'armistice, une étude d'une telle densité, d'une telle solidité et d'une telle élévation. L'officier qui la rédigea se révélait d'emblée un maître.

Cet article emporta l'opinion, et le succès du projet de fortification de la frontière Nord-Est fut complet.

Peut-être même le fut-il trop. N'y avait-il pas lieu de s'alarmer, en effet, de l'excès de confiance que cette couverture cuirassée, réputée inviolable, allait provoquer dans le pays? Etait-il dès lors nécessaire de poursuivre un effort d'organisation de nos forces, si nous étions si bien assurés que l'ennemi ne songerait plus à se mesurer avec elles? N'était-il pas imprudent d'inscrire en quelque sorte, sur le terrain, sinon le plan de campagne, du moins l'esquisse générale de nos projets stratégiques? Si perfectionnées que fussent nos organisations techniques, ne risquaient-elles pas, un jour, d'être dominées par des moyens appropriés alors que, visiblement protégé par cette muraille, en apparence infranchissable, le pays aurait pu se croire autorisé à pratiquer, en vase clos, toutes les expériences de vivisection politique où se serait épuisée sa force et ruinée la confiance que ses alliés plaçaient en lui?

A ces inquiétudes si naturelles, l'auteur répondait en janvier 1926 :

« ... Il ne faut pas, à mon humble avis, que l'organisation défensive soit — comme beaucoup le souhaitent — fonction du plan d'opérations. L'organisation défensive, nécessaire en permanence et qui tient aux conditions géo-

graphiques, politiques, morales même où se trouve le pays est une affaire de gouvernement.

« Le plan d'opérations est l'affaire du commandement. Celui-ci a fait entrer les places (quelle que soit leur forme) dans ses projets, à titre de moyens, exactement comme il fait entrer les effectifs, le matériel, la puissance économique. »

A la suite d'échange d'idées, il précisait encore, en janvier 1927 :

« Barrer les routes : voilà ce que voulait Vauban et je persiste à penser que cette condition, réalisée par lui dans le Nord, a lourdement pesé sur la mobilité de nos ennemis fin Louis XIV et 1792-1793. En revanche j'ai lu avec beaucoup de satisfaction la phrase de Vauban que vous citez à propos du nombre de places. Oui, il en faut peu, mais de bonnes. »

Comme tout le monde s'y attendait, le capitaine de Gaulle, après cette éclatante réussite, fut inscrit le 25 décembre 1926 au tableau d'avancement pour le grade de chef de bataillon.

Aux compliments mérités qui lui furent décernés, il répond : *« Les félicitations que vous avez bien voulu m'adresser m'ont été profondément sensibles. Il est, en effet, doux « d'avancer », mais la « question » est ailleurs :*

il s'agit de « marquer ». Je suis certain d'avoir votre approbation sur ce point. »

Il est exact, en effet, de noter que de Gaulle n'a jamais vu, dans la promotion de grade, la satisfaction pourtant si naturelle de voir récompenser ses efforts ou l'orgueil de s'élever, dans la hiérarchie, au-dessus de ses camarades, mais seulement un moyen d'exercer une action plus efficace, de disposer d'une autorité plus étendue dans un milieu où, trop souvent, la compétence se mesure au nombre de galons.

Au poste qu'il occupe, le capitaine de Gaulle est trop bien placé pour ne pas se rendre compte que l'armée française est sur le point d'être submergée par une vague matérialiste. L'action de guerre semble se ramener à une supputation plus ou moins exacte du tonnage des projectiles déversés, du débit des moyens de transport, de la capacité de production des arsenaux.

Il est grand temps de rendre à l'instinct guerrier la primauté qu'il est en train de perdre et d'exalter, comme facteur essentiel du succès, le moral du chef et celui des exécutants.

Et, puisque les guides font défaut, c'est au cœur même du commandement qu'il faut frapper. Sous le patronage personnel du maréchal Pétain, le capitaine de Gaulle est appelé à faire à l'Ecole Supérieure de Guerre, une série de trois conférences aux deux promotions réunies et en présence de leurs professeurs.

La première conférence a lieu le 7 avril 1927. Elle est présidée en personne par le maréchal qui présente le conférencier en ces termes : « *Ecoutez, Messieurs, le capitaine de Gaulle... Ecoutez-le avec attention car le jour viendra où la France reconnaissante fera appel à lui.* »

Ceux qui l'entendirent alors, dans le grand amphithéâtre de l'Ecole Militaire, ont conservé le souvenir impressionnant de cette voix grave, admirablement posée, de cette attitude pleine de dignité contenue, de cette silhouette élancée et déjà empreinte « de l'indéfinissable splendeur de ceux qui sont destinés aux grandes entreprises », dont Flaubert avait revêtu Annibal adolescent.

Dans « *L'action de guerre et le chef* » (1), il s'efforce de délimiter la part qui revient,

---

(1) « L'action de guerre et le chef », par le Commandant de Gaulle. *(Revue Militaire française,* mars 1928, Berger-Levrault.)

dans la décision, à l'intelligence et à l'instinct. La conception, une fois élaborée, n'a encore aucune valeur pratique. Sa réalisation implique l'existence d'une méthode personnelle et l'habitude d'effectuer les vastes synthèses. Seule, la méditation prolongée peut permettre au chef ce contact avec la réalité sans lequel il n'y a que dogmatisme et systématisme, c'est-à-dire tendance à construire sur des données théoriques.

Il faut maintenant, pour le chef, savoir prendre la décision. Les plus hautes qualités de l'esprit n'y suffisent pas. En dernier ressort, la décision est d'ordre moral. Elle repose sur le caractère.

Problème scabreux pour des officiers, car il y a, presque toujours, antinomie entre le caractère et la discipline. Et ici, de Gaulle n'a pas un instant d'hésitation. C'est le caractère qu'il faut rechercher avant tout. « *Le caractère chez un chef n'est jamais un danger en soi. Il ne revêt d'inconvénients que dans la mesure où le chef en est privé. Il constitue cet élément moral dont celui qui commande ne peut se passer pour se décider lui-même.* »

Pour imposer sa volonté, c'est moins à la discipline et à l'obéissance impersonnelle qu'à son prestige que le chef fera appel. L'essence du prestige, c'est *« l'impression produite par le chef qu'il revêt un caractère extraordinaire, de mystérieux qui lui est propre »*.

Seuls, les hommes vraiment grands sont capables d'avoir du prestige. n'est pas un chef celui qui, par sa faiblesse, sa bassesse, sa médiocrité n'a pas su s'élever au-dessus de la vulgarité ambiante.

De telles personnalités sont rares; des caractères aussi accusés sont incommodes et encombrants; leur supériorité est blessante. Dans un temps où l'excès des récentes épreuves a provoqué une détente des volontés et une dépression du caractère, il faut pourtant veiller attentivement à ne pas laisser troubler davantage les vocations résolues.

Voilà d'amples matières à réflexions pour l'auditoire qui l'écoute, mais de Gaulle n'ignore pas que, malgré leur réceptivité, les officiers qui le composent n'ont saisi sa pensée qu'en partie. Ils ont pu être subjugués par son extraordinaire rayonnement, mais l'empreinte qu'ils ont reçue, la mentalité qui les imprègne, l'ambiance qui les environne, maintiennent, non seulement une véritable incompréhension, mais encore une sorte d'hostilité latente, un état de résistance, une inhibition à son enseignement. Vraiment, de Gaulle et eux ne sont pas sur le même plan !

Deux autres conférences, l'une sur le « *Caractère* » (1), l'autre sur le « *Prestige* » (2) achèvent de préciser sa pensée et de lever les derniers doutes sur le sens de son enseignement.

Il s'y montre profondément réaliste. il tente d'exalter chez son auditoire ce qu'il y a d'essentiel dans les notions d'autorité, de personnalité, d'élévation qui sont, pour lui, inséparables de la qualité de chef. « *L'homme d'action ne se conçoit guère sans une forte dose d'égoïsme, d'orgueil, de dureté, de ruse.* » Il s'efforce de leur montrer, d'une manière pragmatique, que de telles individualités planent au-dessus des ornières où s'enlise une vague humanité. Leur conception du monde ne coïncide pas avec celle de leurs contemporains. Les mots mêmes qu'ils

---

(1) « Du Caractère », par le Commandant de Gaulle. (*Revue Militaire française* du 1er juin 1930. Berger-Levrault.)
(2) « Du Prestige », par le Commandant de Gaulle. (*Revue Militaire française* du 1er juin 1931. Berger-Levrault.)

emploient ont une autre signification que pour le commun des mortels et, le moins qu'ils risquent, est d'être méconnus de leur vivant.

Il est d'autant moins compris que ses remarques, pour exactes qu'elles soient, blessent ou offusquent certaines susceptibilités. Si l'Armée souffre d'un indiscutable abaissement moral, auquel les officiers sont particulièrement sensibles, la faute n'en est-elle pas, en tout premier lieu, à ses chefs? Ceux-ci attendent du pouvoir le ressaisissement de leur prestige alors que l'Armée n'a besoin ni de lois, ni de réclamations, ni de prières, mais d'un vaste et durable effort personnel.

Cet effort, les cadres ne le fourniront pas. De Gaulle a pressenti le danger qui plane sur l'avenir de notre pays. Epuisés par une victoire douteuse, les Français ont perdu tout ressort. Cette nation guerrière se complait maintenant dans un pacifisme inerte et jouisseur, oubliant l'avertissement solennel lancé par Théodore Roosevelt : « Les peuples qui ont cessé d'être militaires ont péri et, en périssant, ont laissé reculer ou, ce qui revient au même, ont fait reculer la civilisation. » L'armée n'a plus de virilité. Les personnalités de valeur y font défaut.

Qui donc conduira ces foules aveulies dans des luttes plus horribles que jamais?

Aussi, de Gaulle est-il résolu à diffuser plus largement ses idées.

A l'automne 1927, il obtient de répéter ses trois conférences dans un des amphithéâtre de la Sorbonne.

Dès lors, c'est à un public peut-être plus compréhensif mais, en tout cas, tout aussi mal préparé à l'entendre qu'il s'adresse : politiques, universitaires, écrivains se pressent à ces conférences qui font époque dans la vie intellectuelle de notre pays. De Gaulle s'y montre éblouissant. Mais qui donc, parmi ceux qui l'écoutaient, a pu mesurer la portée de cette prophétie, qu'il allait réaliser lui-même, et qui termine sa conférence sur le prestige :

« Point de doute que la servitude militaire ne paraisse avant peu plus grande que jamais et que l'on trouve fort beau le dévouement de gens qui, par hasard, ne comptent ni ce qu'ils donnent, ni ce qui leur est donné. »

Le temps de la spéculation était d'ailleurs révolu et, à l'hiver 1927, promu chef de bataillon, le commandant de Gaulle quittait Paris pour aller prendre à Trêves le commandement du 19e Bataillon de Chasseurs à pied.

C'est une coutume régulièrement observée de ne donner un bataillon de chasseurs qu'à des officiers qui avaient déjà servi dans ces unités d'élite. En dérogeant à cette tradition, le général Matter, Directeur de l'Infanterie, nous dit : « Je mets en place un futur généralissime de l'armée française. »

CHAPITRE V

LES ANNEES D'APOSTOLAT

« *Un bataillon de chasseurs, à l'Armée du Rhin, est encore une belle troupe. J'entends qu'il s'y trouve des effectifs* (721 hommes) *et d'assez bonnes conditions d'instruction. Il y a même, au 19ᵉ Bataillon, des officiers qui sont bons, en particulier, les jeunes sortis des Ecoles depuis l'armistice et dont l'ardeur intacte vaut bien plus que l'expérience de leurs aînés :* « *L'expérience, disait von der Goltz, est funeste au soldat...* »

« *Il nous reste tous les éléments pour nous refaire une armée, mais nous n'avons plus d'armée. Qui donnera un Louvois à la République? La vie de l'intelligence est en veilleuse à l'Armée du Rhin. Cela vaut mieux d'ailleurs car, que « faire » avec l'intelligence, prétentieuse impuissante. Mars était fort, beau et brave, mais il avait peu d'esprit. »*

Telles sont les premières impressions du commandant de Gaulle, à la fin de décembre 1927, quand il prend pied sur les rives de la Moselle.

Peut-être se demande-t-on ce qu'est devenue la fameuse étude sur le *« Soldat français »* qui avait motivé la venue de de Gaulle au Boulevard des Invalides? Les trois premiers chapitres avaient été complètement rédigés, savoir : *les Origines, l'Ancien Régime* et la *Révolution*. Le chapitre consacré à l'armée napoléonienne était à peu près esquissé et un plan détaillé préparait les trois derniers chapitres. De Gaulle est satisfait de son travail qu'il a emporté avec lui, pour l'achever, dès qu'il aura quelques loisirs.

Mais le maréchal se souciait très peu, maintenant, de faire voir le jour à son projet et de Gaulle écrivait : *« Je le déplore par vanité et par curiosité. A force de goûter le silence, l'imperator finit par y être asservi. »*

A l'Armée du Rhin et dans le commandement d'une unité d'élite, le climat est peu propice à la méditation. Le programme de l'été 1928 est des plus chargés : séjour au camp de Bitche pendant un mois, au camp de Drose pendant dix jours, manœuvres de garnison et grandes manœuvres. Chemin faisant, de Gaulle a observé les changements qui sont apparus dans l'atmosphère locale depuis trois ans.

Il note à la fin de l'année 1928 :

« *L'Armée du Rhin n'en a plus pour longtemps. La force des choses abat ce qui demeure en Europe de barrières convenues et précieuses. Il faut être convaincu que l'Anschluss est proche, puis la reprise par l'Allemagne, de force ou de gré, de ce qui lui fut arraché au profit de la Pologne. Après quoi, on nous réclamera l'Alsace. Cela me paraît écrit dans le ciel.* »

L'hiver 1928-1929 provoqua à l'Armée du Rhin une forte épidémie de grippe. Des parlementaires, estimant que le Cabinet durait trop longtemps, se saisirent avec empressement de l'occasion qui s'offrait à eux d'interpeller le Ministre de la Guerre sur l'insuffisance des soins donnés aux malades, l'incurie des services sanitaires et l'inertie de l'Administration. Une enquête parlementaire fut ordonnée. La Commission inspecta les différentes garnisons. Elle sut rendre hommage aux efforts diligents qui avaient été apportés au 19ᵉ Bataillon pour combattre l'épidémie et relever un moral qui pouvait fléchir. En fait, de Gaulle qui n'avait pas attendu cette circonstance pour manifester sa sollicitude envers ses chasseurs, ne fut pas dupe des compliments qui lui furent décernés.

« *Le 19ᵉ Bataillon, écrivait-il, n'a pas été, de loin aussi éprouvé par l'épidémie que le colonel Picot l'a prétendu pour faire ressortir autre chose. Toute cette histoire est lamentable, en elle-même et pour ses conséquences.* »

La nécessité de permettre aux officiers d'effectuer le temps de commandement réglementaire interdisait de prolonger au delà de deux ans, durée minimum fixée, la présence d'un chef de corps à la tête de son unité. Aussi, à la fin de l'année 1929, le commandant de Gaulle à son très vif regret, quittait-il le 19ᵉ Bataillon de Chasseurs, y laissant le souvenir d'un chef prestigieux, modèle permanent pour ses cadres et personnification du chef, dans tout ce que ce mot comporte d'élevé et de noble.

Féru d'histoire et de philosophie, il se garde bien d'attendre la formation de son esprit des effets d'une seule discipline.

D'ailleurs, aucune discipline intellectuelle ne se suffit à elle-même. Epris de vues à la fois larges et profondes, accoutumé à rapprocher toujours entre elles ses observations sur la technique, la politique, l'histoire et la sociologie, il lit beaucoup, il interroge, compare et médite.

Afin que son esprit ne se déforme pas à la pratique absorbante d'un métier consciencieusement rempli, il s'affranchit des étapes usuelles d'une carrière normale. Il recherche les postes d'où l'on voit de haut et de loin et sous un angle inaccoutumé. Sur sa demande, il est affecté à l'Etat-Major de l'Armée du Levant et c'est d'une traite qu'il se rend de Trèves à Beyrouth.

Pour un officier qui n'a pas quitté le sol européen depuis l'entrée en carrière, il est indispensable de voir l'armée française à l'œuvre dans l'Empire. Et puis, qui ne se laisserait tenter par le mirage du Levant?

« *Le Levant, écrit-il à la fin de juin 1930, est un carrefour où tout passe : religions, armées, empires, marchandises, sans que rien ne bouge. Voilà dix ans que nous y sommes. Mon impression est que nous n'y pénétrons guère et que les gens nous sont aussi étrangers (et réciproquement) qu'ils le furent jamais. Il est vrai que, pour agir, nous avons adopté le pire système dans ce pays, à savoir d'inciter les gens à se lever d'eux-mêmes, quitte à les encourager, alors qu'on n'a jamais rien réalisé ici, ni les canaux du Nil, ni l'aqueduc de Palmyre, ni une route romaine, ni une oliveraie, sans la contrainte.*

« *Pour moi, notre destin sera d'en arriver là ou bien de partir d'ici. Les sceptiques ajouteraient une troisième solution, à savoir que : durent les tâtonnements d'aujourd'hui puisqu'ici le temps ne compte pas et que les systèmes comme les ponts et comme les maisons trouvent facilement moyen de rester des siècles en porte-à-faux.*

« *Il y a un homme, et je crois, un seul, qui comprenait bien la Syrie et « savait y faire » : c'était le colonel Catroux. C'est pourquoi il est parti.* »

Après un an de séjour, son opinion ne s'est pas sensiblement améliorée :

« *Le Levant est toujours calme, si l'on peut qualifier ainsi l'état d'excitation perpétuelle des esprits orientaux quand il n'a pas de conséquences sanglantes immédiatement. Il se trouve ici des populations qui n'ont jamais été satisfaites de rien, ni de personne, mais qui se soumettent à la volonté du plus fort pour peu qu'il l'exprime, et une puissance mandataire qui n'a pas encore bien vu par quel bout il convenait de prendre son mandat. Cela fait une incertitude chronique, laquelle se retrouve d'ailleurs dans tout l'Orient.* »

On ne sera pas surpris que, au début de l'année 1931, le commandant de Gaulle ait quitté Beyrouth pour Paris, assez déçu par son contact avec l'Orient, mais satisfait néanmoins de la riche moisson d'observations qu'il avait pu y faire. Après la captivité, la Pologne, la Rhénanie, le Levant, il possède maintenant le recul nécessaire pour juger avec plus d'objectivité les réactions d'une Europe hargneuse vis-à-vis d'une France instable, pour apprécier avec plus de sensibilité la transformation qui s'opère, à notre insu, chez nos voisins et nos alliés, pour percevoir avec acuité l'insuffisante adaptation de nos moyens à notre politique et la nécessité de nous pourvoir d'une organisation militaire propre à nous conférer la puissance qui nous fait défaut. Il rapporte en outre, précieux témoignage de l'estime de ses chefs, une inscription au tableau d'avancement pour le grade de lieutenant-colonel.

Au cours du congé de fin de campagne qui lui est accordé, le commandant de Gaulle, avant de rejoindre le nouveau poste qui lui est assigné au Secrétariat Général du Conseil Supérieur de la Défense Nationale, met la dernière main à la rédaction définitive des conférences qu'il a faites, quatre ans auparavant, et les réunit dans un ouvrage intitulé « *Le Fil de l'Epée* » (1).

Le livre, modestement qualifié d' « *essai* », est dédié au maréchal Pétain.

Les trois conférences sur l'action de guerre, le caractère, le prestige sont complétées par deux chapitres nouveaux : l'un sur la doctrine et l'autre sur la politique et le soldat, et l'ouvrage est précédé d'une courte préface destinée à justifier le titre.

« *Il est temps,* dit-il en substance, *que l'élite militaire reprenne conscience de son rôle prééminent, qu'elle se concentre sur son objet qui est simplement la guerre, qu'elle relève la tête et regarde vers les sommets. Pour rendre le fil à l'épée, il est temps qu'elle restaure la philosophie propre à son état. Elle y trouvera les vues supérieures, l'orgueil de sa destination, le rayonnement au dehors, seul salaire — en attendant la gloire — qui puisse payer ceux qui comptent.* »

---

(1) « *Le Fil de l'Epée* », *par Charles de Gaulle. In-8°*, XII, 170 pages, 1932. (Editions Berger-Levrault, Paris.)

CHAPITRE VI

VERS L'ARMEE DE METIER

Les conférences, malgré leur retentissement, n'avaient touché qu'un public restreint. La publication du livre « *Le Fil de l'épée* » acheva de faire connaître à l'Armée qu'elle comptait maintenant, en même temps qu'un écrivain de premier ordre, un penseur qui s'apparentait à Ardant du Picq.

Le livre provoqua, dès son apparition, une très vive sensation. Certes, on savait que l'ordre militaire était attaqué dans sa racine. Les pertes irréparables causées dans ses cadres par les sanglantes hécatombes de la grande guerre avaient laissé dans le commandement, comme dans l'activité intellectuelle, des vides béants. Les lois de dégagement des cadres avaient provoqué l'exode de tous ceux qui, parmi les officiers, estimaient qu'ils pouvaient encore honorablement réussir dans une autre carrière; les concours aux Ecoles Militaires étalaient un abaissement notable du niveau intellectuel des candidats, les publications professionnelles, en dépit des encouragements officiels qui leur étaient prodigués, révélaient l'indigence de la pensée et l'absence de toute préoccupation originale.

L'ordre militaire était attaqué, mais, ce qui était le plus remarquable — et le plus inquiétant — c'était l'absence de réaction de la pensée militaire. L'élite doutait de sa prééminence. Sa protestation devant les critiques injustes, ineptes ou passionnées ne s'exhalait que sous la forme d'un sourd gémissement. L'acier de la lame était toujours de qualité, mais le fil de l'épée s'était émoussé. Et voilà qu'un officier se levait pour rétablir la confiance dans les destinées de l'armée et rendre à celle-ci des motifs de croire dans l'avenir.

« *L'avenir* — dit M. Espinas — *sera fait de ce que nous aimons le plus et, comme le désir, à son tour, repose sur la croyance... l'avenir sera fait de ce à quoi nous croyons le plus. »*

Croire ou disparaître : tel est le dilemme. Ardant du Picq l'a formulé un demi-siècle auparavant. *« Une aristocratie qui meurt, meurt toujours par sa faute, parce qu'elle ne remplit plus ses devoirs, parce qu'elle manque à sa tâche, parce qu'elle n'a plus les vertus de ses fonctions dans l'Etat, parce qu'elle n'a plus de raison d'être dans une société dont la tendance dernière est de supprimer ses fonctions. »*

En méditant ces paroles, les officiers pouvaient mesurer la reconnaissance dont ils étaient redevables au commandant de Gaulle.

La lecture du livre agit comme un tonique tant l'ouvrage entier respire une force consciente, sûre d'elle-même, maîtresse de ses réflexes. L'homme qui le rédigea est bien l'aristocrate, au sens d'Ardant du Picq, en pleine possession de ses moyens, calculant juste la portée de ses assertions, ouvert, cultivé, et mûri par la réflexion.

Dès cette époque, il n'y avait pas grand mérite à prophétiser : *« Il y a de l'audace à porter si haut et d'emblée sa pensée; il y a du mérite à soutenir cet effort sans faiblir et le risque est grand de se trouver contraint à devenir l'homme qui symbolisera ces idées et contractera l'obligation morale d'en représenter la réalité vivante.*

« *Mais le commandant de Gaulle est de taille à assumer cette responsabilité.* » Journal des Anciens Enfants de Troupe (A. E. T.) de novembre 1932.

Or, par une coïncidence purement fortuite, le « Journal des A. E. T. » contenant ces remarques, qui fut adressé au commandant de Gaulle, contenait un article *« Les Réflexions d'un amateur »* consacré aux transformations profondes que la motorisation et le cuirassement des vihicules allaient introduire dans l'armée.

Alors que les théoriciens en étaient encore à discuter sur la nécessité et l'importance de cette transformation, celle-ci s'effectuait en quelque sorte à leur insu. En peu d'années (plus ou moins selon le freinage), la forme des armées, leur composition, leur effectif, leur tactique devaient se modifier radicalement et parallèlement dans tous les pays.

Il s'agissait moins d'une innovation que de la reconsidération de la décision prise, quatre siècles auparavant, lorsqu'on cessa de porter l'armure; on revenait à une tradition millénaire suivant laquelle la protection des guerriers cherche à s'accroître en même temps que l'efficacité des armes augmente. On commençait donc à attacher quelque valeur à des constatations élémentaires formulées par les penseurs militaires qui ont réfléchi aux problèmes de l'action de guerre. On redécouvrait Marmont, lequel, dans ses *« Institutions Militaires »,* affirme que : *« On ne va pas à la guerre pour se faire tuer; on y va pour vaincre l'ennemi. »* Vérité toute simple qui fut paraphrasée en ces termes par Ardant du Picq : *« L'homme ne va pas au combat pour la lutte mais pour la victoire. Il fait tout ce qui dépend de lui pour supprimer la première et assurer la seconde. »*

L'armure avait été abandonnée au moment même où les armes à feu portatives faisaient leur apparition sur le champ de bataille. On ne devait pas manquer d'affirmer que l'arquebuse avait chassé l'armure. Mais, de ce que deux faits sont contemporains, il ne s'ensuit pas qu'ils soient en relation directe. Ce n'est pas le canon se chargeant par la culasse qui a fait disparaître le navire en bois, bien que l'apparition de l'un coïncide avec la disparition de l'autre.

L'armure a disparu parce qu'elle était trop coûteuse pour les particuliers, mais le manque de protection des combattants devient aujourd'hui insupportable pour ceux-ci.

La multiplication forcée des engins blindés, réclamée par tous les combattants, entraînera des conséquences fort importantes : le prix et la fabrication limiteront le nombre de ces engins, leur entretien et leur bon fonctionnement exigeront des professionnels; en dehors des carapaces, il y aura de moins en moins de place pour le combattant à découvert sur le champ de bataille; la guerre se ramènera à une lutte entre troupes composées de professionnels préposés à ce rôle et aura désormais un aspect tout différent de celui auquel nous ont accoutumés les guerres de nations armées.

De Gaulle fut assez frappé par ces vues, un peu utopiques, pour écrire, en novembre 1932, qu'il y trouvait abordé *« de biais, mais d'une façon originale, certaines conceptions générales quant à l'évolution militaire qui sont désormais les miennes. Je suis, d'ailleurs, en train, dans mes loisirs, de les développer dans un nouvel ouvrage »*.

Par une voie différente, mais dans le plan logique de ses conceptions antérieures, le commandant de Gaulle en était arrivé effectivement à dénier à l'armée, sous sa forme actuelle, la possibilité de remplir convenablement les missions qui lui incombaient. Edifier notre couverture uniquement sur la résistance d'ouvrages tenus par des novices, lui parut une absurdité. Pour lui, la formation, la constitution, la mise en œuvre de la masse de réserves et de recrues destinée à devenir l'élément principal de la résistance nationale ne pouvaient être assurées que sous la protection « *d'un instrument de manœuvre capable d'agir sans délai, c'est-à-dire permanent dans sa force, cohérent, rompu aux armes. Point de couverture française sans une armée de métier* ».

L'introduction du machinisme a bouleversé l'industrie, alors que l'armée est restée à peu près insensible à ses effets. Il y a là un phénomène d'inertie assez extraordinaire mais qui suffit à expliquer maints conflits entre la Nation et l'Armée. L'évolution ne suit plus, dans l'une et dans l'autre, des routes parallèles. Dans l'armée, la fureur du nombre sévit avec intensité. La notion de qualité y est perdue de vue ainsi que celle de rendement. A l'inflation des effectifs mobilisés, correspondra l'inflation des pertes sans que les résultats militaires soient sensiblement accrus. La manœuvre de ces masses gigantesques s'avère impossible et celles-ci sont alors menacées de paralysie. Se représente-t-on la tâche qui incomberait au commandement de déplacer ces foules impotentes composées de soldats insuffisamment instruits alors que les circonstances exigeront, et que l'adversaire peut nous imposer, une stratégie de vitesse et de mouvement? En bref, l'armée de métier doit être pourvue d'engins mécaniques.

La politique, elle-même, a adopté les principes directeurs des affaires. Les diplomates ont désormais tendance à limiter l'objet des litiges pour s'en saisir aux moindres frais et au plus tôt. Qui peut s'y opposer à temps, sinon une armée toujours en état d'agir, douée de vitesse et pourvue de moyens efficaces? Ne faudra-t-il pas en venir un jour à la formation d'une police internationale chargée d'appliquer les sanctions de la S. D. N., et de quoi serait composée cette force, sinon de professionnels? Nous avons un Empire à défendre : faudra-t-il nous en remettre toujours au service d'auxiliaires plus ou moins travaillés par des nationalismes locaux? Et, si nous ne voulons pas nous résoudre à entrer dans cette voie de la qualité, n'est-il pas évident que le chiffre même de notre population nous condamne à n'avoir désormais qu'une armée numériquement plus faible que celle des coalitions adverses?

Cessons donc d'examiner cette question de la forme de l'armée sous l'aspect sentimental que la politique ou de prétendues traditions veulent nous imposer.

Et maintenant, que sera cette armée? La réponse est catégorique : *« Demain, l'armée de métier roulera tout entière sur chenilles. »* Une grande unité pourra parcourir cinquante lieues dans sa journée. En une heure, venant de quinze kilomètres en arrière, elle prendra son dispositif de combat. Cuirassée, elle ne connaîtra pas l'immobilisation des fronts.

On partirait d'une force évaluée à 6 divisions de ligne, motorisées et chenillées tout entières, blindées en partie. Chaque division serait dotée de tout ce qu'il faut, en fait d'armes et de services, pour mener le combat de bout en bout, à condition que d'autres l'encadrent.

La composition d'une division pourrait être conçue de la manière suivante : une brigade blindée portant 150 canons de moyen calibre, 400 pièces plus petites, 600 mitrailleuses : le tout en deux régiments éclairés par un bataillon de chars légers. Suivent à proximité, une brigade d'infanterie (de deux régiments et un bataillon de chasseurs) armée de cinquante pièces d'accompagnement, d'autant de canons antichars, de 600 mitrailleuses lourdes ou légères. Une artillerie tractée répartit en deux régiments des canons lourds et courts et d'autres pièces à tir tendu pour assurer la couverture à longue distance de l'infanterie et des chars. Un groupe de D. C. A. protège contre les attaques aériennes : le tout peut déverser, en un quart d'heure et jusqu'à 10 km en avant, cent mille kilos de projectiles.

Enfin, la division blindée possède un bataillon du génie, un bataillon de transmissions, un groupe de camouflage et un groupe d'aviation d'observation.

A l'ensemble de ces six divisions viendront se joindre, en réserve générale : une division légère pour l'exploration, une brigade de chars très lourds, une brigade d'artillerie de très gros calibre, un régiment du génie et un régiment de transmissions, un régiment de camouflage, un régiment d'aviation de reconnaissance et un régiment d'aviation de chasse.

Pour fixer les idées, il suffit de souligner que cette armée de choc, d'un effectif de 100 000 hommes, posséderait une puissance de feu trois fois supérieure à celle fournie par l'ensemble des troupes françaises mobilisées en 1914.

C'est alors que, par une intuition géniale, de Gaulle a la perception aiguë que le groupement organisé d'un nombre imposant de chars de divers types, ouvrant la voie à des troupes motorisées, possède des propriétés tactiques et stratégiques insoupçonnées.

Les caractéristiques des chars sont universellement connues; leur mode d'emploi, dans l'appui direct de l'infanterie au feu, a été codifié à la suite de l'expérience de la dernière guerre. Les exercices ont entraîné les cadres à la manœuvre d'un bataillon de chars ouvrant la voie à la progression d'une division d'infanterie. Mais, depuis qu'a retenti la sonnerie du clairon de l'armistice, aucune innovation sensationnelle n'a modifié les conceptions d'ensemble, désormais admises en matière de tactique des chars.

Le commandant de Gaulle se demande alors si les propriétés d'une masse articulée de quatre cents chars ne sont que la somme des propriétés intrinsèques de ces quatre cents engins? L'appui qu'ils se prêtent, l'effet qu'ils produisent, la puissance collective qu'ils recèlent ne constituent-ils pas un facteur nouveau jusqu'ici négligé? Ces propriétés actuelles, limitées par l'usage restreint auquel la tactique les confine, ne sont-elles pas susceptibles d'être démesurément accrues le jour où une conception plus large sera envisagée?

Il a profondément médité cette pensée du capitaine Colin (1) : « *Les armes déterminent la manière de combattre et les évolutions; de là résultent la structure de la bataille, la forme des manœuvres qui la préparent et enfin, le caractère général des opérations, la physionomie de la guerre tout entière,* p. 170. »

A l'origine, simple appareil destiné à écraser les fils de fer et à franchir les obstacles, le char sent encore lourdement peser sur lui le poids des idées qui ont présidé à sa conception. Aujourd'hui, le char est un véhicule cuirassé, déplaçant avec rapidité des engins de tir d'une puissance croissante.

---

(1) J. Colin : « Les transformations de la guerre ». (Bibliothèque de philosophie scientifique. Ernest Flammarion, éditeur.)

Demain, il est appelé à d'autres destinées car, d'accessoire, dans l'attaque, il deviendra l'essentiel. C'est en fonction des propriétés collectives de la nouvelle arme qu'il faut monter la bataille, prévoir la manœuvre et définir le mode opératoire des armées.

Au char d'infanterie, on demandait de briser la croûte superficielle des obstacles qui s'opposaient à la progression des fantassins; à la division cuirassée, on assignera comme mission, non seulement de mener la bataille de bout en bout, mais encore d'en exploiter les résultats en effectuant des trouées profondes sur les arrières pour achever la désorganisation et la démoralisation de l'ennemi. *« On verra « l'exploitation » devenir une réalité quand la dernière guerre en avait fait un rêve. » (Vers l'armée de métier, p. 172.)*

Et il ne s'agit pas seulement de l'exploitation tactique du succès, mais bien de la restauration de cette extension stratégique des résultats tactiques vainement poursuivie au cours de la guerre 1914-1918, et qui, faute de moyens appropriés, ne fut jamais réalisée. Ainsi, est-il concevable que l'emploi des divisions cuirassées accélère prodigieusement le rythme des opérations.

A toutes les époques, les théoriciens militaires qui ont tenté de moderniser les doctrines régnantes en leur imprimant une vigoureuse poussée en avant, n'ont pas manqué d'introduire, dans leurs conceptions, quelque innovation destinée à provoquer cette accélération : pour ne parler que des Français, c'est Guibert, au XVIIIe siècle, avec l'ordre divisionnaire et l'artillerie mobile de Gribeauval; c'est Marmont avec les fusées à la « Congrève »; c'est Langlois avec le canon à tir rapide. Mais jamais proposition si hardie ne fut formulée que celle qui offre d'effectuer, aux moindres frais, une guerre rapide et décisive grâce à l'emploi, suivant une méthode nouvelle, d'engins existants que nous possédons en nombre suffisant et qu'il suffit de grouper et de commander.

Commander! Grave problème qui, pour être résolu, demande des hommes nouveaux. Jeunesse, entrain, ardeur, vigueur physique, intellectuelle et morale, réflexes rapides, jugement prompt et coup d'œil fulgurant : que ne faudra-t-il exiger des chefs appelés à conduire ces unités rapides? Foin des méthodes compassées si profondément ancrées dans les esprits par quatre années d'immobilisation des fronts; au diable les ordres volumineux ne laissant place à aucune éventualité qui n'ait été prévue! Tout l'enseignement dogmatique est à reprendre. A la libération des combattants, englués dans la boue des tranchées, doit répondre un affranchissement de l'esprit vis-à-vis des règles, une recherche de la personnalité par le développement de la culture générale, la décentralisation du commandement, la transformation de l'institution militaire, dans son ensemble.

Et voilà ce que de Gaulle expose, au cours d'une conversation, un après-midi de la fin de novembre 1932, sans exaltation, mais avec une ardeur convaincante que modère seule la crainte inexprimée que peut-être il se trompe. N'a-t-il pas commis une faute de raisonnement? N'anticipe-t-il pas imprudemment? Néglige-t-il des impossibilités?

Non! Sa conviction est parfaitement fondée, solidement étayée, ses arguments sont irréfutables. Il faut les produire au grand jour, les publier sans tarder. Outre-Rhin, l'Allemagne se réveille. Il n'y a pas un instant à perdre. Pour éviter des discussions oiseuses, le livre se tiendra dans les généralités. L'organisation de détail, la constitution des unités, l'armement des engins, est affaire de techniciens, c'est travail d'Etat-Major. L'essentiel est de jeter l'idée en pâture et de provoquer les discussions fécondes. Néanmoins, pour préparer une opinion peu accoutumée à de pareilles innovations, un article, en forme d'introduction, sera d'abord publié.

Auprès d'un très cher ami commun, le lieutenant-colonel Emile Mayer qui, très tôt, ayant deviné l'immense avenir qui s'ouvrait devant le jeune écrivain militaire, n'a cessé de lui prodiguer les conseils et les encouragements, de Gaulle trouve les appuis les plus précieux et l'aide la plus efficace pour lancer son idée.

Dans son numéro du 10 mai 1933, la *Revue Politique et Parlementaire* offre, en douze pages, ce qui sera plus tard l'essentiel du livre en gestation *« Vers l'armée de métier »*.

Ce résumé, qui ne donne d'ailleurs qu'un bref aperçu de la prodigieuse richesse d'idées qui seront émises dans le livre, est écrit d'une plume élégante, dans un style à la fois précis et imagé et atteint un degré de condensation qui nécessite une lecture attentive. Le cri d'alarme est jeté : *« Ainsi, les nécessités de la couverture, les exigences de la technique guerrière, l'évolution internationale s'accordent pour nous dicter une réforme militaire profonde.* »

La publication de cet article provoque un choc sensationnel.

La tribune de lancement a été bien choisie et, dans le monde parlementaire comme dans les milieux militaires, une vive controverse s'engage aussitôt. Jamais proposition ne tomba plus à propos. A la Société des Nations, on sait que l'Allemagne, lasse de ne pas voir s'établir le désarmement parallèle prévu par le traité de Versailles, tente insidieusement de reprendre sa liberté. L'Angleterre invite d'une manière pressante le gouvernement français à faire un effort vigoureux et visible pour réduire les effectifs de l'armée permanente, approuvant d'ailleurs toute modification de structure que nous voudrons bien introduire dans nos institutions militaires. Le Président du conseil insiste vainement auprès du chef d'Etat-Major Général pour que cette question soit examinée d'extrême urgence et il souligne tout l'intérêt qu'il y aurait à fournir une réponse favorable. Peine perdue, efforts inutiles! L'Etat-Major de l'Armée est intransigeant : nos effectifs du temps de paix représentent un chiffre minimum : aucune modification utile ne peut être apportée à notre organisation militaire et aucune réduction ne doit être envisagée dans l'état actuel des besoins de notre couverture. Tout au plus, pourra-t-on, pour les besoins de la cause, diminuer certains crédits, prévus largement, au budget de la Guerre et dont l'emploi n'est pas indispensable.

Le Président du Conseil n'ignore pas à quelle inertie il se heurte; il sait quelles conséquences entraînera une réponse négative : l'Allemagne reprendra la course aux armements et nous allons droit à la guerre à bref délai; mais il est impossible de concevoir, sous un régime parlementaire, que le Président du conseil puisse prétendre opposer sa manière de voir à celle que vient d'émettre l'Etat-Major de l'Armée : une interpellation sur ce différend et le Ministère serait renversé.

Ces considérations suffisent à indiquer avec quel état d'esprit l'Etat-Major de l'Armée accueille les suggestions de la *Revue Politique et Parlementaire.*

Laborieusement, page par page, le livre s'élabore et sera achevé au cours de l'hiver.

Le 25 décembre 1933, de Gaulle est

nommé lieutenant-colonel et maintenu au Secrétariat du Conseil Supérieur de la Défense Nationale où ses vastes connaissances, sa souple intelligence, ses qualités littéraires et son habitude de dominer de haut les questions les plus ardues trouvent une remarquable utilisation.

C'est en mai 1934 que voit le jour le livre qui va mettre le sceau à la réputation militaire du lieutenant-colonel de Gaulle.

La librairie Berger-Levrault, qui s'est honorée en publiant toute la production de l'auteur, ne néglige aucun effort de publicité pour assurer le lancement de l'ouvrage.

Vers l'armée de métier (1) est dédié : « *A l'armée française, pour servir à sa foi, à sa force, à sa gloire.* »

Un tel ouvrage, qui prendra place désormais au premier rang de nos grands classiques militaires, est une œuvre fondamentale sans équivalent dans toute la littérature technique de ces cent dernières années.

Pénétré, jusque dans la dernière de ses

---

(1) Charles de Gaulle : « Vers l'armée de métier », 1 vol in-8°, 212 pages. (Editions Berger-Levrault, 1934.)

fibres, de la grandeur et de la nécessité du rôle de la France et des responsabilités qu'elle assume, discernant avec netteté le chaos monstrueux qui suivra sa défaite, de Gaulle frémit à l'idée de l'audace que ne manqueront pas de montrer les ennemis assez clairvoyants pour discerner les faiblesses criminelles de cette organisation militaire qui seule fait encore obstacle à la réalisation de leurs ambitions. Un cri d'alarme lui semble une insuffisante manifestation. Il a diagnostiqué le mal, il fixe la thérapeutique, il demande un essai loyal. On pressent qu'il est homme à l'effectuer.

Dans cette œuvre si riche, pas un instant la pensée ne fléchit, nulle place n'est laissée à une vague idéologie; la perfection du style n'est destinée qu'à faire apparaître la limpidité des idées comme la propriété des termes et la coloration des images ne servent qu'à renforcer l'impression de rayonnante clarté; partout éclatent une conviction ardente, une foi communicative qui entraînent et persuadent. Le problème passionnant et angoissant est posé avec une netteté cruelle; la solution qui s'impose est développée en termes ramassés et vigoureux; les conséquences qu'elle entraîne sont esquissées dans un dessin perspectif dont la profondeur trouble l'imagination. Le livre fermé, il ne peut plus subsister de doute, dans tout esprit non prévenu : l'armée a trouvé son guide, son chef et son maître.

Tu duce, tu signor, tu maëstro.

(DANTE.)

CHAPITRE VII

LA LUTTE

Sept cents exemplaires du livre furent péniblement débités au moment même où, en Allemagne, on s'arrachait par milliers la traduction qui venait d'en être faite.

Sans doute, de flatteuses et chaleureuses félicitations vinrent-elles réconforter l'auteur; P. Fervacque, camarade de captivité d'Ingolstadt, publia, dans le *Temps* du 15 juin, un article courageux et intelligent, attestant la haute qualité de la belle œuvre militaire qui venait de paraître. Mais l'ébranlement attendu de l'opinion ne se produisait pas. Du moins, la réaction inévitable fut lente à se déclencher. C'était, en somme, ce silence prémédité et boudeur réservé à l'homme dont l'œuvre dépasse la capacité d'admiration qu'une époque a coutume de décerner.

Dans le cercle amical qui se réunit, chaque dimanche matin, autour du lieutenant-colonel Emile Mayer, au domicile de son gendre, M. Grunebaum-Ballin, dans les conversations tenues, le lundi, à la Brasserie Dumesnil, à Montparnasse, de Gaulle se sent entouré d'une chaude affection et d'une ardente approbation. Il apparaît dans sa saine maturité, physique et intellectuelle, gai, spontané, simple et cordial. Il ne s'émeut nullement de l'incompréhension et de l'hostilité qui l'entourent, tant est imperturbable la confiance qu'il a dans la solidité de sa thèse. Il projette de l'exposer sous la forme d'une interview à la radio. Il recherche la contradiction pour y faire des réponses qui ont la vigueur, l'éclat et la promptitude d'une botte d'escrime. Il n'est pas moins sensible aux témoignages de sympathie qui surgissent de tous les milieux. Au Parlement, Philippe Serre et Paul Reynaud se font les protagonistes de ses idées.

De Gaulle fait maintenant figure d'homme nouveau.

N'appartenant à aucune coterie, il ne peut tabler sur aucune amitié traditionnelle, sur aucun concours de relations efficaces, ni sur l'adhésion calculée d'aucun parti en place. Il est breveté, mais il ne fait pas partie de l'Etat-Major de l'Armée; il est sorti de l'Ecole de guerre, mais il n'y a pas professé. Il a été nourri de la plus pure doctrine orthodoxe, mais il en conteste la valeur. Il eut des maîtres qui pouvaient le patronner, des camarades qui eussent pu le vanter, mais il était supérieur à ses camarades; il croyait l'être à ses maîtres et il l'était en effet : cela ne se pardonne pas.

Il doit, dès lors, prévoir l'animosité d'une classe professionnelle peu portée à admirer ceux qui tentent de percer prématurément, de chefs, adversaires de l'innovation et de la personnalité, de groupements politiques dénués, par principe, de bienveillance pour une caste jalousée, de l'inertie d'un pays auquel on demande de s'associer à un effort qui l'inquiète.

L'accueil trop empressé, qui lui est réservé par certains partis politiques, témoigne moins d'un acquiescement à ses théories que du désir de faire opposition au gouvernement en place.

Loin d'avoir à briguer des appuis, il doit plutôt se défier de l'enthousiasme factice avec lequel on tente de l'accaparer. La défense bruyante de ses idées par ceux-là mêmes qui l'assurent est, en effet, un échec réel puisque les personnes qui ont la responsabilité de l'organisation accroîssent leur résistance à l'innovation en masquant leur incompréhension et leur timidité derrière leur répugnance à céder à des pressions partisanes.

En réalité, le problème technique qu'il a posé et dont il fournit une solution appropriée, en a fait apparaître un autre, plus délicat et bien plus redoutable : « Combien de temps le vieux système, né de la conscription de l'an VII, rafistolé tant bien que mal en 1875, tombé en complète dégénérescence depuis 1919 pourra-t-il encore subsister? Qui osera jeter bas cet édifice vermoulu et le remplacer par une institution dont l'apparition ruinera le dogme de la nation armée et, à bref délai, réduira, dans d'énormes proportions, l'effectif pléthorique du haut commandement? » Ainsi se trouveraient gravement compromises les chances de carrière, patiemment élaborées et escomptées avec certitude par tout un groupe professionnel, plus habitué à spéculer sur les données statistiques de l'annuaire des Officiers que préparé à fournir la preuve de ses mérites.

Dès lors, les positions sont rapidement prises et fortement occupées. C'est merveille de constater que, malgré le changement d'orientation politique provoqué par les élections de 1936, malgré la douloureuse déception causée en avril 1936 par l'occupation de la Rhénanie, le point de vue du ministre de la Guerre ne subira pas la moindre déviation. Les ministres qui se succèdent sont impuissants à modifier, en quoi que ce soit, la ligne de conduite que s'est tracée l'Etat-Major de l'Armée. La première Panzerdivision, dont l'organisation est exactement calquée sur le schéma préconisé par de Gaulle, apparaît à la fin de l'année 1935, et une « suite » est annoncée. Cette perspective ne trouble en rien la sérénité du haut commandement; on peut même croire qu'elle renforce ses convictions.

Lorsque Daladier avait quitté la Défense Nationale en février 1934, le problème n'ayant pas encore été officiellement posé, le ministre n'avait pas eu à prendre parti. Lorsqu'il revint au pouvoir, en juin 1936, il pouvait, en toute indépendance, consulter le dossier qui s'était ouvert dans l'intervalle et dont les éléments essentiels étaient :

— le livre *Vers l'Armée de Métier,* et son auteur, présent à Paris;

— les controverses de la presse, déclenchées par le livre;

— la proposition de loi déposée le 15 mars 1935 par Paul Reynaud, lequel avait préalablement porté la question à la tribune de la Chambre des Députés;

— les informations sur les créations réalisées par la Reichswehr.

Si le maréchal Pétain (1), pendant son court passage au ministère, n'avait rien fait en faveur des idées de son ancien secrétaire, le général Maurin, tout au moins, avait témoigné à celles-ci quelque sympathie, encore que son tempérament fantasque et ses sautes d'humeur fussent peu de nature à les faire aboutir. En revanche, Daladier ne pouvait ignorer que toute l'opposition se

---

(1) En prenant place dans le Cabinet Doumergue, le 10 février 1934, le maréchal eut, un instant, l'intention d'appeler de Gaulle, auprès de lui, comme chef de Cabinet, mais d'habiles manœuvres, en ne faisant entrevoir à ce dernier que d'éventuelles successions, provoquèrent de sa part une abstention pleine de dignité.

cristallisait autour de Fabry. Président de la Commission de l'Armée, Fabry y régnait, tel le borgne dans le royaume des aveugles, et il y représentait les idées étroites de l'Etat-Major dont il était l'homme-lige depuis 1919. Devenu ministre de la Guerre, il a été le môle de résistance, sur le terrain politique, de tout ce qui se refusait à une transformation radicale de l'armée.

C'est lui qui, notamment, a fait repousser par la Commission de l'Armée le projet Paul Reynaud, sous prétexte que la création du « Corps spécialisé » serait « impossible et inutile » et qu'elle aurait contre elle « la logique et l'histoire ». Ce sont les termes mêmes du rapport Sénac, établi au nom de la Commission de l'Armée et inspiré ouvertement par Fabry.

Sur le terrain technique, le retard incombe surtout aux généraux Weygand et Debeney, qui, dans la *Revue des Deux-Mondes,* ont pris publiquement parti contre le projet, avec une âpre fureur.

Mais, dans un sens opposé, Daladier eût pu trouver, dans son dossier, la copie du *« Plan maximum »* déposé au nom de la France, à Genève, par Paul-Boncour, en novembre 1932. Ce plan prévoyait explicitement, dans chacun des grands Etats, et d'abord en France, *« la création d'une force spécialisée* formée de militaires servant à long terme, dotée d'un matériel des plus puissants (notamment les chars) interdits aux masses nationales et destinée à l'assistance mutuelle immédiate ».

N'est-ce pas le « corps spécialisé », « l'armée de métier » et suivant une conception beaucoup plus accentuée encore que celle préconisée par de Gaulle? Mais, aux préjugés militaires si bien exaltés par l'Etat-Major, Daladier éprouve le besoin de joindre les scrupules politiques.

Il entrevoit, dans la création de l'armée de métier, la renaissance de l'armée prétorienne, instrument de coup d'Etat. Il pense qu'un Parlement républicain ne peut renoncer au dogme du soldat-citoyen et que démocratie et nation armée sont des termes inséparables. Le parti socialiste, fidèle aux conceptions jauressiennes de la milice, repousse avec horreur l'idée d'une armée professionnelle. Il faudra attendre 1937 pour que Léon Blum, devenu Président du Conseil, fasse enfin appeler de Gaulle, pour avoir, avec ce dernier, un long entretien à la suite duquel il confessera son erreur et donnera une nouvelle preuve de sa vive intelligence et de sa prompte compréhension. Mais il sera trop tard.

Aussi, quand Paul Reynaud demande que soit mise en discussion sa proposition de loi, Daladier charge son Cabinet d'établir la réfutation de la thèse du lieutenant-colonel de Gaulle.

Il n'est pas douteux que l'intervention d'Henri de Kérillis, lequel interpella le ministre de la Guerre au cours de la séance du 23 juin 1936, contribua, en donnant au débat un accent politique, à accroître la méfiance de Daladier.

En bref, la chambre des Députés écarta le projet Reynaud, moins peut-être parce que l'argumentation de Daladier l'avait séduite qu'en raison de l'hostilité irritée de l'Etat-Major, dont le ministre n'était que le porte-parole.

Cette hostilité n'était pas un vain mot. Lorsqu'en novembre 1936, furent établies les propositions d'avancement, le général Gamelin, chef d'Etat-Major, crut complaire au ministre en écartant purement et simplement la candidature du lieutenant-colonel de Gaulle. Ne convenait-il pas, en effet, de faire sentir à cet officier présomptueux qu'il avait beaucoup trop fait parler de lui et qu'il en coûte d'avoir des opinions opposées à celles de ses chefs.

Rendons hommage néanmoins au général Bourret, chef du Cabinet militaire de Daladier, et au Ministre lui-même. Ils comprirent spontanément tout ce qu'une pareille éviction avait à la fois de blessant et de maladroit.

L'humeur qu'ils avaient pu concevoir en étant contraints de mener la discussion sur ce terrain délicat cédait, sans hésiter, quand il s'agissait de rendre un juste hommage à celui que tous deux considéraient publiquement comme un penseur militaire et l'un des plus remarquables officiers de sa génération.

Le lieutenant-colonel de Gaulle fut inscrit au tableau d'avancement pour 1937 de la main même de Daladier et au grand dépit de l'Etat-Major de l'Armée et de son chef.

Pendant ce temps, l'Allemagne avait achevé de constituer sa troisième Panzerdivision et mettait en chantier l'organisation de la quatrième.

En France, il n'y avait que sarcasmes et moqueries pour la création d'une armée de métier. Officiellement, le terme était proscrit mais, en sous-main, hypocritement, au camp de Châlons, on transformait le 8ᵉ régiment de zouaves en corps professionnel et on préparait, sans oser le dire, par la réunion à la mobilisation d'un certain nombre de bataillons de chars, la mise sur pied d'une division cuirassée, à deux brigades. L'Etat-Major de l'Armée aurait prétendu alors, par cette apparition, fournir la preuve indiscutable qu'il n'attendait pas, d'un officier supérieur non qualifié, les idées et les principes indispensables à la modernisation de l'armée. Suprême habileté : en théorie, on réprouvait les idées de de Gaulle, mais en pratique, on tenait une réponse prête, si, par hasard, on s'était trompé.

La promotion au grade de colonel devant avoir lieu à la fin de l'année, de Gaulle obtint de se voir attribuer le commandement d'un régiment de chars. Le colonel Stehlé, Directeur de l'Infanterie, mit une coquetterie spéciale, en même temps qu'il manifesta son exacte connaissance des personnes, en proposant lui-même cette désignation au Ministre.

Pour se préparer à ces fonctions, nouvelles pour lui, de Gaulle effectua un stage d'instruction au 501ᵉ Régiment de Chars à Versailles. C'est qu'il ne s'agissait plus seulement d'instruire des hommes et des cadres, mais aussi de mettre en œuvre un matériel précieux, et cela, sous les regards narquois de camarades guettant la bévue et, pour le moins, curieux de voir comment le « *théoricien de l'armée cuirassée* » allait se tirer d'affaire, dès ses débuts.

Appelé au commandement du 507ᵉ Régiment de chars, à Metz, la cabale montée contre ses théories ne l'a ni découragé ni rebuté. Au contraire, dans cette garnison de plus de trente mille hommes, groupés dans des corps d'élite, il a la légitime ambition de placer les chars au premier rang.

Au cours d'une fête du régiment, il fait procéder avec un éclat inaccoutumé et un brio extraordinaire au « parrainage » de ses engins en présence du général Giraud, gouverneur de Metz.

Le 507ᵉ est doté du matériel le plus moderne et a la mission d'en fixer la doctrine d'emploi. Les cadres y sont bons en général, mais que d'efforts à faire pour dissiper la routine, vaincre les préjugés, inculquer des principes nouveaux !

A la fin de l'année 1937, de Gaulle confirme :

« *Après quelques expériences de détail, je me trouve plus convaincu que jamais du bien-fondé des idées que j'ai essayé de répandre et qui, hélas! ont jusqu'à présent été entendues par les Allemands beaucoup plus volontiers que par mes compatriotes. La manœuvre, l'attaque ne peuvent plus être demandées sur terre qu'à des chars. L'âge de l'infanterie est terminé, sauf comme arme défensive. L'artillerie garde sa valeur relative, mais c'est à l'appui des chars qu'il lui faut désormais s'employer avant tout. Il reste à le reconnaître, puis à organiser l'armée française en conséquence, en constituant un instrument de manœuvre et de choc à base de chars : c'est-à-dire un « Corps Cuirassé ».*

« *En outre, ce corps, étant donné son importance relative et le prix du matériel à lui confié, ne peut être formé pour l'instant que de spécialistes, comme le sont la Marine et l'Aviation. Nous entrons dans l'ère des armées de métier. Tous les préjugés du monde n'arrêteront pas le mouvement. Heureusement pour nous, les Allemands ont aussi quelques bons militaires conformistes et, quoiqu'ils fassent beaucoup pour le Panzerkorps, l'Aviation et la Marine, ils consacrent encore pas mal d'efforts pour se donner des « masses » qui ne leur serviront guère.* »

Trop de déboires dans notre politique extérieure montraient au colonel de Gaulle les conséquences funestes de l'absence d'un instrument militaire approprié aux besoins de l'heure. En dépit des dépenses gigantesques qu'entraînait l'entretien de l'armée, nous étions frappés d'impuissance et incapables d'agir, faute de pouvoir disposer d'une troupe de manœuvre et de choc, toujours prête à l'action.

En Europe, les petits Etats qui attendaient de nous aide et assistance, se montraient déçus de notre incapacité et de notre abstention (1). Nous perdions, un à un, les fruits de notre victoire de 1918. Les triomphales revues de Versailles et des Champs-Elysées ne compensaient pas nos reculades sur tous les théâtres diplomatiques et il était bien tard pour réparer nos erreurs, si même nous songions à le faire.

---

(1) Le général Chauvineau ayant publié en 1938 un livre intitulé « *Une Invasion est-elle toujours possible?* » (Berger-Levrault), où il expose — sous la caution du Maréchal Pétain qui préface l'ouvrage — l'attitude résolument défensive de la France dans les proches éventualités, nos attachés militaires appelèrent l'attention du général Gamelin sur la profonde stupeur qui se manifesta dans tous les petits Etats. Il fallut restreindre la portée des assertions personnelles de l'auteur par des articles rectificatifs.

Depuis que, après son départ du Ministère, le maréchal Pétain s'était vu confiné dans des fonctions honorifiques, il manifestait un intérêt subit pour des questions qui l'avaient laissé indifférent quand il était en mesure d'intervenir. C'est ainsi que, dans la préface qu'il rédige en 1938 pour le livre de son camarade Chauveneau, il écrit : « *Il semble que les possibilités techniques des chars et les possibilités de commandement des divisions cuirassées n'aient pas été étudiées d'une façon suffisante.* »

Le 25 décembre 1937, de Gaulle était promu colonel et maintenu à la tête du magnifique régiment qu'il animait de son ardeur juvénile et qu'il dominait de tout son prestige personnel.

Mais, que de difficultés à résoudre, totalement étrangères à l'instruction et à la préparation à la guerre.

En juin 1938, il confesse : « *Un chef de corps est tout bonnement un personnage qui use son temps et ses moyens à lutter contre le commandement tout au long de la voie hiérarchique et jusqu'au ministre inclus, pour tâcher de préserver ses effectifs, son matériel, ses cadres et sa propre bonne volonté contre le tumulte des ordres, circulaires, prescriptions, règlements généralement absurdes et toujours contradictoires qui auraient tôt fait de réduire à rien les diverses cellules de l'armée si, d'aventure, on les appliquait. Fort heureusement, on ne les applique pas, quitte à sauvegarder les apparences au moyen de comptes rendus.*

« *Au reste, tout le monde, à commencer par les échelons qui prescrivent et réglementent, sait ce qu'il en est en réalité. Gobineau disait à peu près ceci : « Poser des règles, n'y pas croire mais en « prescrire l'application sans ignorer qu'elles seront « lettre morte » : telle est la philosophie de notre temps. » Ceci est profondément vrai.* »

Au cours d'un de ses déplacements à Paris, il avait été vivement sollicité par la librairie Plon de donner un ouvrage non technique destiné à être diffusé dans un public plus varié que le milieu militaire auquel il s'était adressé jusque-là.

Son embarras était grand car les loisirs lui faisaient défaut pour entreprendre une étude nouvelle et, par ailleurs, son désir était vif de saisir l'occasion qui lui était offerte de répandre ses idées.

C'est alors qu'il songea au travail entrepris en 1925. Le manuscrit l'avait suivi, dans ses cantines, à Trèves, à Beyrouth, à Paris.

Remanié aux instants de loisirs, il avançait avec une ardeur lassée, tapisserie de Pénélope qu'il faudrait tout de même terminer un jour. De Gaulle suggéra le titre : « *La France et son armée* » et en fit approuver le plan.

Avant de livrer le manuscrit à l'impression, il ne manqua pas de faire connaître au maréchal Pétain son intention d'éditer l'étude dont il avait personnellement rédigé les différents chapitres, émettant respectueusement la supposition que cette publication ne soulèverait aucune objection de la part de son ancien chef.

Grande fut sa stupéfaction de recevoir, presque par retour du courrier, une lettre dactylographiée lui signifiant, en substance, que l'étude sur le « *Soldat français à travers les âges* » constituait un travail d'Etat-Major et qu'il n'était pas possible, dès lors, d'autoriser le rédacteur à s'approprier une étude impersonnelle.

Le résultat immédiat d'une visite à Paris fut de dissiper ce « malentendu », néanmoins, le maréchal Pétain ne laissa pas ignorer qu'il entendait que l'ouvrage lui fût dédié et que, par précaution, la dédicace serait rédigée par le maréchal lui-même.

Cette offre, imprudemment acceptée, fut cause d'une grave préoccupation pour le colonel de Gaulle. Le texte de la dédicace, qu'il reçut quelques jours après, ne pouvait laisser aucun doute, au public non averti, que le rôle de l'auteur se réduisait, en somme, à avoir écrit sous la dictée.

Nul n'est plus scrupuleux, ni plus désintéressé que le colonel de Gaulle; jamais ne pourra l'effleurer l'idée de s'approprier les fruits du labeur d'autrui et, plus que quiconque, il était disposé à reconnaître la valeur des conseils que le maréchal lui avait donnés au cours de la rédaction des premiers chapitres.

Il ne pouvait cependant, en toute dignité et en toute équité, se résoudre au désaveu de paternité qui lui était imposé.

La dédicace respectueuse qu'il fit insérer en tête de son livre lui parut répondre à l'expression de la vérité comme à la manifestation de sa reconnaissance.

Le maréchal Pétain fut d'un avis différent et sa protestation très vive ne suspendit la menace d'une sanction que sur la promesse d'un rétablissement intégral du texte original, à l'occasion de la deuxième édition.

« *La France et son Armée* » (1) parut dans le courant du mois de septembre 1938 (2).

Il faut bien noter que de Gaulle, en écrivant ce livre, ne se soucie pas de faire œuvre d'historien. Pas un instant, il ne songe à se ranger à côté des spécialistes, des érudits à la science impeccable et à la documentation fabuleuse. Dans l'histoire, il voit d'abord un procédé pour rechercher les causes de l'action et de la décision, ensuite un cadre tout tracé pour y faire revivre et mouvoir des centaines de personnages, avec leur silhouette caractéristique, leurs traits psychologiques essentiels et leur comportement professionnel. Dans ces conditions, faire tenir dix-neuf siècles d'histoire militaire en moins de trois cents pages constitue déjà une magnifique gageure. Brosser, derrière ces acteurs, une vaste toile de fond sur laquelle

---

(1) Charles de Gaulle : « La France et son armée », 1 vol. in-8°, 277 pages. (Collection « Présences », Plon, 1938.)

(2) Le lieutenant-colonel Emile Mayer, qui en avait revu les épreuves et avait procédé à la correction typographique avec le soin extraordinaire qu'il apportait à cette tâche, mourait le 28 novembre 1938. Retenu par d'impérieuses nécessités de service au camp de Mailly, le colonel de Gaulle ne put assister à l'ultime réunion des amis du défunt autour de sa pensée.

se peint l'état de la France, à chaque époque considérée, dans ses masses essentielles et, l'atmosphère du drame ainsi reconstituée, suggérer les conclusions que ce rapprochement fait naître, dégager une leçon qui ne soit ni tendancieuse, ni banale, représente un véritable tour de force qui fut apprécié par tous les connaisseurs.

La succession de tant de tableaux ne va pas sans exiger des tons locaux différents afin de renouveler l'attention : la splendide apothéose de la grande guerre fait nécessairement paraître moins brillantes les pages consacrées à la Révolution et à l'Empire; on peut davantage goûter l'extrême condensation des *« Origines »* que le développement un peu lent *« D'un désastre à l'autre »;* on peut même discuter dès la phrase initiale si *« La France fut faite à coups d'épée »* mais, précisément, c'est bien là ce que souhaite le colonel de Gaulle : la discussion autour des problèmes militaires.

Le grand public ne s'intéresse plus à ces questions. De somptueuses éditions consacrées à l'*« Histoire de l'Armée française »* sont passées directement de l'étalage des librairies aux rayons des bibliothèques sans éveiller la moindre controverse. Les lois militaires ont été votées, des débats parlementaires ont rempli des colonnes du « Journal Officiel » sans que l'homme de la rue, l'universitaire, l'industriel, le commerçant, le contribuable parussent se douter que ces problèmes le concernaient. Il semble, aux Français, que l'incomparable trésor de la gloire accumulé par nos armées d'autrefois, que les misères subies par nos ancêtres, à la suite des invasions ennemies, visaient un peuple disparu qui n'a de commun avec nous que le nom de « Français ».

De telles vérités doivent être affirmées avec force et, dans l'émotion qui traverse le pays, après Munich, le colonel de Gaulle jette une dernière fois cette suprême adjuration :

« *Pauvre peuple, qui, de siècle en siècle, porte, sans fléchir jamais, le plus lourd fardeau de douleurs. Vieux peuple, auquel l'expérience n'a point arraché ses vices, mais que redresse sans cesse la sève des espoirs nouveaux. Peuple fort, qui, s'il s'étourdit à caresser des chimères, est invincible dès qu'il a su prendre sur lui de les chasser. Ah! grand peuple, fait pour l'exemple, l'entreprise, le combat, toujours en vedette de l'Histoire, qu'il soit tyran, victime ou champion et dont le génie, tour à tour négligent ou bien terrible, se reflète fidèlement au miroir de son armée. »* (1).

Cette fois, le succès d'édition fut complet. Dès l'instant où l'auteur, quittant le domaine technique et le terrain des doctrines, ne risquait plus de porter atteinte, par ses propositions révolutionnaires, aux prérogatives des « compétences » militaires, celles-ci étaient toutes disposées à applaudir sans réserve au triomphe d'un auteur dont la réputation littéraire comme la notoriété rejaillissaient sur elles. Il était, en outre, difficile de paraître vouloir faire le silence autour d'un officier dont le nom se répandait rapidement dans toute l'Armée.

Appelé en 1937 à faire un stage au Centre des Hautes Etudes Militaires, le lieutenant-colonel de Gaulle n'eut pas, en effet, un seul instant, le sentiment qu'il s'y trouvait en qualité d'élève. A son corps défendant, malgré sa modestie et sa simplicité, il se trouva porté, par l'éclat de son prestige, par l'extraordinaire rayonnement qui se dégageait de sa personne, au rang de « directeur de pensée ». On se pressa aux conférences qu'il fut invité à faire aux stagiaires sur l'emploi des chars

---

(1) « La France et son armée », p. 277.

dans la bataille moderne; aux exercices, ses paroles avaient l'autorité d'un oracle. Des officiers supérieurs qui furent appelés à ce stage, à qui on demandait ce qu'ils y avaient appris de plus remarquable, répondaient : « *A connaître de Gaulle.* »

CHAPITRE VIII

UN CHEF

La guerre! Il l'attendait.

Aux avant-postes de l'armée française, dans sa garnison de Metz, où, fiévreusement, on vivait la veillée des armes, il percevait les craquements précurseurs de la catastrophe. Avec angoisse, il avait vu l'armée allemande se pourvoir de cinq Panzerdivisionen, organisées suivant les suggestions qu'il avait faites, instruites suivant les méthodes qu'il avait préconisées, orientées, tactiquement et stratégiquement, selon les principes qu'il avait dégagés. Chez nous, rien! Non seulement nulle réalisation n'avait été tentée, mais le colonel de Gaulle eut la suprême douleur de voir son beau régiment disloqué en trois bataillons, recevant chacun une destination particulière au premier jour de la mobilisation.

Lui-même rejoignait le poste qui lui était assigné : celui du commandement des chars de la 5ᵉ armée, en basse Alsace.

La 5ᵉ armée était sous les ordres du général Bourret, l'un des plus remarquables de ceux qui furent appelés à ces hauts commandements : vigueur physique, allant juvénile, intelligence pénétrante, dégagée de toute préoccupation d'école, connaissant bien la troupe et n'ignorant rien des ressources de son art, jugeant les hommes à leur valeur et les plaçant à leur juste rang avec un total mépris des idées préconçues; ardent républicain mais esprit large et compréhensif, il se réjouit d'autant plus de la bonne fortune qui lui confiait de Gaulle qu'il l'estimait et l'admirait. Le général Bourret était de ces hommes de haute intellectualité qui s'honorent d'être entourés d'une élite, qui recherchent la supériorité et qui savent apprécier et récompenser l'initiative, la science et la personnalité de leurs subordonnés. Son chef d'Etat-Major était le général de Lattre de Tassigny, l'un des plus jeunes généraux de l'armée, brillant cavalier muté sur sa demande dans l'infanterie au cours de la Grande-Guerre, colonel incomparable, officier d'Etat-Major aux ressources infinies. Des grands chefs traditionnels, il a la fougue, l'originalité, la hardiesse des conceptions et la vigueur dans l'exécution. C'est une des figures les plus représentatives de son temps. La 14e division, qu'il sera appelé à commander, se couvrira d'une gloire immortelle au cours de sa brève campagne.

En vérité, le général Bourret est bien entouré et, après quelques « épurations » nécessitées par de notoires insuffisances, tous les cadres de cette armée seront à la hauteur des missions qui pourront leur incomber.

Ils en escomptent plus qu'on ne leur en confiera. Une force d'inertie paralyse l'armée française aussitôt que la concentration est achevée. L'inutile reconnaissance de la neutralité belge, proclamée par le gouvernement le 31 août, interdit au général Gamelin toute velléité d'offensive sur la basse Moselle et, comme le prophétise le généralissime, dans sa lettre du 1er septembre 1939 au Président du Conseil, Ministre de la Défense Nationale, laisse à l'armée allemande toute facilité pour nous surprendre quand elle le voudra (1). Nous tolérons que l'Italie conserve, à notre égard, une attitude suspecte et les pays balkaniques se montrent plus soucieux de nous demander du matériel que d'apporter leur concours.

Le colonel de Gaulle juge inadmissible notre passivité. Le 26 janvier 1940, il rédige une étude sur l' « *Avènement de la force mécanique* ».

Ce travail n'ayant pu être imprimé, n'a été diffusé que dans un public restreint. D'assez larges extraits permettront d'apprécier l'extraordinaire profondeur de vues de celui qui l'élabore, la richesse de ses aperçus comme l'exactitude de ses conclusions.

Si, dans toute guerre, il faut s'attendre à l'intervention de la surprise, qu'elle soit matérielle ou intellectuelle, si, dans la

---

(1) « ... Par contre, si les Belges ne nous appelaient qu'au moment où ils seraient attaqués par les Allemands, nul doute qu'ils n'aient pas les moyens (en nombre et en puissance) de défendre efficacement leur front avant qu'il ne soit défoncé et nous aurions à courir tous les aléas d'une bataille de rencontre avec la difficulté de soutenir des armées en retraite, tâche difficile avec les moyens motorisés et l'aviation moderne. » (Lettre du général Gamelin au Président du Conseil, expédiée le 1er septembre 1939.)

guerre en cours, la surprise résulte de l'inertie montrée par des moyens dont on attendait l'activité, il faut pourtant se garder de croire que cela était inévitable.

De part et d'autre de la frontière, les forces étalées parallèlement offrent de grandes analogies, quant à l'armement et à l'organisation; l'équilibre des masses, si rien n'y fait obstacle, se traduit par la stabilité des fronts. La guerre de 1914-1918 nous a familiarisés avec ce phénomène de la défensive généralisée. « *Cependant, en vertu de la loi de nature suivant laquelle toute aptitude perdue par un organisme vivant est transférée à un autre, celle qui achève d'échapper aux masses devient l'apanage d'un système nouveau. Le moteur combattant restitue et multiplie les propriétés qui sont éternellement à la base de l'offensive. Agissant dans les trois dimensions, se déplaçant plus vite qu'aucun être vivant, susceptible de porter des poids énormes sous forme d'armes ou de cuirasse, il occupe désormais un rang prépondérant dans l'échelle des valeurs guerrières et s'offre à renouveler l'art défaillant.* »

Les nouvelles armes ne sont pas des panacées universelles. L'ennemi leur oppose des engins identiques et d'autres, destinés spécialement à les combattre. L'artillerie conserve sa puissance de feu *« mais c'est un fait que, par rapport aux autres armes, l'engin mécanique est intrinsèquement doté d'une puissance, d'une mobilité, d'une protection littéralement incomparables et que, par suite, il constitue l'élément essentiel de la manœuvre, de la surprise et de l'attaque ».*

« Il n'y a plus, dans la guerre moderne, d'entreprise active que par le moyen et à la mesure de la force mécanique. »

Fait surprenant! Dans aucun des deux camps on ne semble s'être résolu encore à tirer de cette observation les conclusions qui s'imposent. Au lieu de créer, de toutes pièces, l'instrument de guerre nouveau, on se borne à insérer, dans le système ancien, les engins motorisés et comme à regret.

Il est juste, néanmoins, de constater qu'en groupant d'importantes masses d'aviation d'attaque et plusieurs grandes unités cuirassées, les Allemands se sont rapprochés de la solution rationnelle et que, de celle-ci, ils ont tiré de grands avantages en Pologne. Mais les avions sont en nombre insuffisant et les chars d'un modèle trop léger pour penser rompre les obstacles de la ligne Maginot. Peut-être l'Allemagne est-elle en train de regretter l'excès de timidité dont elle a fait preuve dans la transformation de son armée.

« *Nul ne peut raisonnablement douter que si l'Allemagne avait, le 1er septembre dernier, disposé seulement de deux fois plus d'avions, d'un millier de chars de cent tonnes, de trois mille de cinquante ou trente et de six mille de vingt ou de dix, elle aurait écrasé la France.* »

Celle-ci, avec son aviation embryonnaire, ses chars insuffisants, en nombre et en puissance, ne dispose que de cinq millions de soldats (1) sans utilité pour prêter secours à nos alliés de l'est. Ainsi, les mêmes institutions périmées qui, le 7 mars 1936, ne purent s'opposer à l'occupation de la Rhénanie, puis à l'Anschluss, qui, en septembre 1938 et en mars 1939, assistèrent impuissantes au démembrement de la Tchéco-Slovaquie, nous valent encore de rester spectateurs devant l'effondrement de la Pologne.

Aussi longtemps que le problème militaire consistait, pour la France, à assurer l'inviolabilité de ses frontières, le système de la Nation armée était, à la rigueur, admissible.

---

(1) Au 1er mars 1940, sur 4 895 000 hommes mobilisés en France, 2 775 000 étaient aux armées.

Il n'apportait déjà plus qu'une solution précaire si l'ennemi se pourvoyait d'une force mécanique suffisante pour briser nos lignes de défense. La création d'une ligne fortifiée n'était, au surplus, qu'un expédient dont il convenait de ne pas exagérer la valeur, car « *la technique et l'industrie se trouvent, dès à présent, en mesure de construire des chars qui, employés en masse comme il se doit, seraient capables de surmonter nos défenses actives et passives.* »

Dès lors, la rupture des positions fortifiées peut entraîner des conséquences tactiques et stratégiques extrêmement graves.

« *Le défenseur qui s'en tiendrait à la résistance sur place des éléments anciens serait voué au désastre. Pour briser la force mécanique, seule la force mécanique possède une efficacité certaine. La contre-attaque massive d'escadres aériennes et terrestres... voilà donc l'indispensable recours de la défensive moderne.* » Mais, depuis le traité de Versailles, la France a assumé sa large part dans la responsabilité de l'équilibre européen. Nous sommes engagés à défendre, non seulement nos frontières, mais encore celles des petits Etats. Prétendons-nous le faire en confinant nos forces militaires à la pointe du petit cap qui constitue l'extrémité du Continent?

Terrés derrière nos fortifications, nous laissons à l'ennemi toutes facilités pour s'emparer, une à une, de toutes les ressources de l'Europe et ainsi de devenir démesurément fort.

« *Dans le conflit présent, comme dans ceux qui l'ont précédé, être inerte, c'est être battu.* » Pour être en état d'agir, et non plus seulement de subir, il n'est qu'un seul remède : *créer un instrument militaire nouveau.*

Ne doutons pas, d'ailleurs, qu'il y ait péril à laisser dans l'inaction les forces que nous avons mobilisées. Ces milliers d'hommes qui piétinent dans leurs cantonnements sont traversés, comme leurs chefs, par l'obscur sentiment de leur inutilité autant que de leur impuissance. Faudra-t-il donc, pour justifier leur maintien sous les armes, se voir acculé à des entreprises sans espoir?

La prolongation des hostilités peut-elle même se concevoir dans un pays où toute vie économique est suspendue alors que l'énormité des dépenses de guerre exigerait une activité industrielle et commerciale accrue, une production agricole développée au maximum? On ne peut à la fois exporter et mobiliser, fabriquer un matériel de guerre indispensable et maintenir les techniciens aux armées. « *Jadis, la guerre des nations armées exigeait la masse au combat. Aujourd'hui, la guerre totale exige la masse au travail.* »

Le seul moyen de concilier ces besoins contradictoires est donc de disposer de l'organisation militaire qui réalise le maximum de puissance avec le minimum d'effectif. L'adoption de la force mécanique entraîne fatalement la modification de l'organisation militaire, de l'étendue et du rythme des constructions et du caractère même de la guerre. Mais, au lieu de nous laisser pousser à cette transformation par une sorte de fatalité, ne serait-il pas préférable de nous y porter volontairement et consciemment?

Pendant que se poursuivrait, avec le concours de l'Angleterre et de l'Amérique, l'exécution d'un vaste programme de fabrication, il serait procédé à la formation du personnel, pour le choix duquel le commandement aurait une priorité absolue. L'esprit sportif de guerre serait inculqué aux futurs exécutants, car « *les grandes victoires de notre époque seront, sans nul doute, remportées par champions et par moteurs* »:

Ces engins sortis d'usine, ces troupes entraînées ne sont rien, si la force mécanique qu'ils vont constituer n'est pas organisée *« en vue des buts décisifs à atteindre par son action propre ».*

« Comme l'élément de toute entreprise autonome est la grande unité, c'est en grandes unités, dotées de tous les moyens voulus pour mener la manœuvre de bout en bout, qu'il est nécessaire de l'articuler. »

Réalisée pour la marine de guerre, envisagée pour l'aviation, cette condition n'est pas encore entrée dans les perspectives du haut commandement (1).

« Nous allons disposer de quelques divisions mécaniques, les unes dites « légères », les autres « cuirassées ». Mais elles ne sont faites que pour soutenir et compléter les unités de masse du type ancien. »

Et le colonel de Gaulle expose de nouveau comment il conçoit l'armée mécanique, faite de divisions de ligne et de divisions légères, accompagnées d'infanterie blindée et d'artillerie protégée, pourvue de tous les moyens

---

(1) La 1re division cuirassée a été réunie en septembre, la 2e en octobre, la 3e le sera en mars 1940 et la 4e en mai, dans un désarroi intellectuel, avec une absence de méthode et une insuffisance de doctrine tels que ces grandes unités seront hors d'état de jouer le rôle primordial qui eût pu leur être confié.

de brèche ou de passage nécessaires pour surmonter les obstacles que lui opposeront le terrain ou l'ennemi et capable de s'affranchir des routes pour ses transports et ses ravitaillements.

« En l'air, des divisions d'assaut, capables, au cours de la bataille, à la fois de se tailler la place dans le ciel et d'en fondre pour assaillir l'ennemi au sol ou sur la mer (1) *et des divisions d'attaque lointaine destinées à la destruction des objectifs d'ordre économique. La réunion de ces grandes unités en corps terrestres ou aériens permettrait les larges ruptures, les manœuvres à grande envergure, les exploitations profondes qui constituent la tactique des formations mécaniques, à condition qu'elles soient concentrées.*

Enfin, par combinaison des éléments modernes, sur terre, sur mer et dans les airs, naîtrait une stratégie nouvelle, assez étendue dans l'espace et assez rapide dans le temps pour être à l'échelle de leurs possibilités. Nul doute,

---

(1) Le colonel de Gaulle avait été très fortement impressionné par les pénétrantes observations faites par le colonel Rougeron et parues chez Berger-Levrault sous le titre : « *Enseignements aériens de la Guerre d'Espagne* », 1939.

d'ailleurs, que cette extension du rayon d'action de la force doive entraîner un vaste élargissement des théâtres d'opérations et, par suite, de profonds changements dans la conduite politique du conflit. »

Voilà donc une possibilité offerte au commandement français de sortir de l'immobilité à laquelle notre organisation désuète le contraint.

Mais, c'est plus encore une nécessité impérieuse d'avoir à s'y attacher sans tarder, car les périls de l'immobilité sont également perçus chez tous les belligérants et, tôt ou tard, l'un d'eux, pour y échapper, dès qu'il aura réuni les moyens exigés, déclenchera des opérations « *dont l'ampleur et la rapidité dépasseront infiniment celles des plus fulgurants événements du passé. Beaucoup de signes annoncent déjà ce déchaînement des forces nouvelles* ».

Tout cela, c'est le bon sens porté à la plus haute puissance.

La péroraison de cette étonnante étude mérite d'être intégralement reproduite et méditée par tous ceux qui aspirent à tenir leur place dans la Nation; le colonel de Gaulle y montre, par l'altitude à laquelle il s'élève d'un bond, qu'il a franchi la barrière qui sépare le militaire du politique. Ce qu'il entrevoyait autrefois, en raccourci, s'allonge maintenant loin dans l'avenir. Il a voulu être à la hauteur des plus grandes traditions de son pays, quand celui-ci dirigeait spirituellement les destinées du monde. Il s'y trouve maintenant et il a la vision éblouissante du rôle que la France doit désormais jouer.

« *Ne nous y trompons pas! Le conflit qui est commencé pourrait bien être le plus étendu, le plus complexe, le plus violent de tous ceux qui ravagèrent la terre. La crise politique, économique, sociale, morale dont il est issu revêt une telle profondeur et présente un tel caractère d'ubiquité qu'elle aboutira fatalement à un bouleversement complet de la situation des peuples et de la structure des Etats. Or, l'obscure harmonie des choses procure à cette révolution un instrument militaire — l'armée des machines — exactement proportionné à ses colossales dimensions. Il est grand temps que la France en tire la conclusion.*

« *Comme toujours, c'est du creuset des batailles que sortira l'ordre nouveau et il sera finalement rendu à chaque nation suivant les œuvres de ses armes.* »

« Toujours, a dit James, les hommes dont les déterminations sont régies par les fins les plus distantes, ont été considérés comme possédant l'intelligence la plus grande. »

On comprend maintenant que l'homme qui écrivait les lignes altières que nous venons de citer n'eut pas, au moment de la capitulation, un seul instant d'hésitation sur la conduite qu'il avait à tenir. Une implacable logique n'a-t-elle pas jalonné toute sa carrière? La profession oriente et stimule sa pensée, celle-ci s'extériorise en actes de commandement; les actes du chef se coordonnent suivant des principes qui s'articulent et se subordonnent au fur et à mesure de l'action. Les principes conduisent à concevoir un type personnel d'organisation où ils trouvent leur plein épanouissement; l'organisation détermine désormais les sentiments moteurs inspirant celui qui doit la diriger et, enfin, ces moteurs conditionnent toutes les résolutions qu'il est appelé à prendre.

Pour avoir affirmé, vingt ans auparavant, la primauté du moral sur le matériel, de Gaulle, après avoir mis l'accent sur les vertus essentielles au chef, confère tout d'abord, à celui-ci, l'orgueil de sa personnalité. Celle-ci imprime à toutes ses conceptions un cachet particulier, une estampille qui lui est propre.

Pour de Gaulle, l'armée mécanique est l'instrument qui doit porter sa marque, outil en proportion avec le rôle européen que doit jouer la France, si notre pays veut continuer à tenir sa place parmi les grandes nations.

Et voilà pourquoi, lorsque, à un moment de lamentable dépression, le gouvernement français quittera la lutte, de Gaulle n'aura pas à réfléchir.

Le 18 juin 1940, quand tout espoir aura paru déserter le cœur des Français, sa voix grave et sereine leur dira :

« — *Le dernier mot est-il dit? L'espérance doit-elle disparaître? La défaite est-elle définitive? Non!*

« *Croyez-moi, moi qui vous parle en connaissance de cause et qui vous dis que rien n'est perdu pour la France. Les mêmes moyens qui nous ont vaincus peuvent faire venir un jour la victoire...*

« *Foudroyés aujourd'hui par la force mécanique, nous pourrons vaincre dans l'avenir par une force mécanique supérieure. Le destin du monde est là.* »

Et le 22 juin 1940, comme si les derniers mots de son étude lui montaient instinctivement aux lèvres, il terminait son adjuration au peuple de France en lui disant :

« *Si les forces de la liberté ne triomphaient finalement de celles de la servitude, quel serait le destin d'une France qui serait soumise à l'ennemi?* »

Non! il fallait que la France restât présente dans la lutte. Un homme en avait conscience et cet homme qui *savait,* c'était le général de Gaulle.

Le succès de son étude fut médiocre, du moins quant aux résultats. Daladier ne crut pas devoir en prendre connaissance et le général Gamelin, après l'avoir lue, se confirma dans l'idée que l'homme qui l'écrivait était un esprit dangereux. La mauvaise humeur de l'Etat-Major de l'Armée et du Grand Quartier Général n'était pas encore apaisée qu'on apprit la stupéfiante nouvelle : « Le colonel de Gaulle est appelé au Cabinet de Paul Reynaud, Président du Conseil. »

CHAPITRE IX

EN MANIERE DE CONCLUSION

Les mois d'oisiveté militaire qui venaient de s'écouler n'avaient rien ajouté au prestige du Cabinet Daladier. La « guerre psychologique », qu'il semblait s'assigner comme objectif, ne lui avait apporté que des déboires. Le Parlement devenait nerveux. Déjà, en février, l'unanimité du vote de confiance décerné par la Chambre des Députés au Cabinet, lors de l'interpellation sur l'aviation, avait témoigné d'un appui plus précaire que les suffrages d'une majorité restreinte.

L'effondrement de la Finlande et l'annonce, le 12 mars, de la paix avec la Russie achèvent de déchaîner la tempête parlementaire.

Après un débat au Sénat, où sa majorité s'est encore effritée, Daladier revient, le 19 mars, devant la Chambre des Députés, réunie en Comité secret. Bergery prononce un réquisitoire accablant à la suite duquel Daladier démissionne.

Le Cabinet Reynaud qui lui succède n'est accueilli qu'avec des réserves calculées. Son programme est dicté par les causes mêmes qui ont entraîné la chute de Daladier mais, précisément, ces projets troublent les parlementaires. Ils savent Paul Reynaud actif et entreprenant, audacieux et novateur. Parce qu'il inquiète, et qu'une nouvelle orientation est à présumer dans la conduite de la guerre, une sourde opposition ne tarde pas à se manifester. Elle se cristallise autour de Daladier, maintenu à la Défense Nationale et dont tout l'entourage partage les préventions.

C'est dans cette atmosphère tumultueuse que le colonel de Gaulle, convoqué télégraphiquement, arrive des Vosges à Paris. Paul Reynaud a conçu l'idée originale d'avoir, à ses côtés, un comité de trois experts chargés de le documenter sur les questions militaires, financières et diplomatiques. De Gaulle sera l'expert militaire.

Il accourt avec un joyeux empressement. Il n'a plus la sérénité du penseur. L'air du front a durci son regard; la mesquinerie des dirigeants l'écœure. Aux premiers mots de sa conversation, on comprend qu' « une faculté pitoyable se développe dans son esprit, celle de voir la bêtise et de ne plus la tolérer » (1). L'heure n'est-elle pas venue, d'ailleurs, d'appliquer les idées qui lui sont chères et dont il attend le salut? Devancer les projets de l'ennemi en attaquant partout où nous pouvons prendre l'initiative, ressaisir la maîtrise de l'action, préparer la création de la force mécanique en mettant les équipages futurs à l'apprentissage, en passant les commandes à l'étranger jusqu'à ce que le renforcement de nos grandes unités permette de décongestionner l'armée mobilisée au profit de nos usines; enfin, régler la question du haut commandement où le désaccord Georges-Gamelin n'est pas fait pour faciliter la résolution des problèmes qui se posent.

Mais, de Gaulle a trop de tact, il est trop averti pour ne pas sentir combien est fausse la position où il se trouve placé. Déjà, les

---

(1) G. Flaubert (Correspondance).

premières directives transmises par la Présidence du Conseil à la Défense Nationale ont un accent autoritaire, un ton décisif qui ne trompent personne. Elles sont signées Paul Reynaud, mais il est aisé d'en deviner le véritable auteur. L'Etat-Major de l'Armée regimbe; Daladier se hérisse; le G. Q. G. proteste. L'immixtion du Cabinet du Chef du Gouvernement dans le domaine propre d'un ministre est jugée intolérable. Daladier intrigue. Une campagne alarmiste, auquel ce dernier n'est peut-être pas étranger, répand discrètement des fausses nouvelles sur les projets offensifs que Paul Reynaud aurait fait approuver à Londres.

Officier supérieur détaché à la Présidence du Conseil, de Gaulle reste le subordonné hiérarchique du Ministre de la Défense Nationale. Il risque d'être broyé dans le conflit qui éclate, à la fin d'avril, entre les deux chefs politiques.

Aussi bien, le temps n'est plus aux projets. Les événements de Norvège sont les signes avant-coureurs de l'orage qui monte. Le 8 mai, le bruit circule d'une invasion imminente des Pays-Bas par les Allemands. Le 10, aux premières heures du jour, l'armée allemande prend l'offensive.

Le colonel de Gaulle respire, hors de la Capitale, un air revivifiant. Le commandement de la 4ᵉ division cuirassée lui est confié au moment même où tout s'écroule. Déjà la 1ʳᵉ division cuirassée s'est volatilisée en Belgique à l'ouest de Dinant en attaques ordonnées mal à propos et mal appuyées. La 2ᵉ division est dispersée en cours de transport entre l'Aisne et l'Oise avant même d'avoir pu réunir ses éléments sur ses bases de débarquement. La 3ᵉ division s'épuise en actions fragmentaires dans le flanc gauche de la 2ᵉ armée, vers le Chesne-Populeux-Attigny. Et c'est à la dernière minute, quand, depuis le 16 mai, une Panzerdivision se trouve déjà à Sissonne, que sont ajustées les unités devant former la 4ᵉ division.

Il faut, coûte que coûte, ralentir la marche des corps blindés qui, après avoir franchi la Meuse à Monthermé et Sedan, se dirigent vers la mer en direction d'Amiens pour couper la route aux forces alliées imprudemment lancées en Belgique. Mission désespérée puisque cet effort ne peut être soutenu et que l'armée, au profit de qui elle est entreprise, n'est pas encore en place!

La contre-attaque effectuée par la 4ᵉ division sur la Serre, en direction de Montcornet, restera une des pages glorieuses de cette triste campagne.

Montée suivant les règles inspirées par la doctrine de son chef, largement articulée en profondeur pour durer, soutenue dans chacun de ses bonds par l'infanterie portée et par l'artillerie qui en couvre le déploiement, la contre-attaque progresse irrésistiblement, de coupures en coupures. De son char, que pavoise ostensiblement son fanion orné de la croix de Lorraine, de Gaulle la conduit au plus fort de la mêlée.

Pendant cinq jours, du 16 au 20 mai, la 4e division maîtrise le terrain qu'elle a conquis et, quand elle est rappelée en arrière, une nouvelle armée s'est intercalée entre la IIe et la IXe armée; un nouveau front s'est constitué.

La méthode a fait ses preuves. Nos divisions cuirassées pouvaient tenir tête aux panzerdivisionen. Un vent de confiance traverse les troupes qui ont participé à cette contre-attaque.

Pour la science qu'il a montrée, le brio dont il a fait preuve, les résultats qu'il a acquis, le colonel de Gaulle se voit décerner une magnifique citation à l'ordre de l'Armée et il est promu général de brigade à titre temporaire à quarante-neuf ans.

La 4ᵉ division est transportée le 28 mai sur la Somme pour y réduire la poche que les Allemands ont faite au Sud d'Abbeville. Le 30 mai, une victorieuse poussée de la 4ᵉ D. C. C. rejette l'ennemi en désordre aux portes de la ville.

Mais Paul Reynaud, pour mettre fin aux intrigues décevantes qui paralysent son action, vient de remanier son Cabinet. Il concentre entre ses mains la Présidence du Conseil, la Défense Nationale et les Affaires Etrangères. Son premier soin est de faire appel au concours du général de Gaulle, en qualité de sous-secrétaire d'Etat à la Guerre.

Le 6 juin 1940, le général de Gaulle s'installait rue Saint-Dominique. Sans transition apparente, avec une aisance qui ne peut surprendre quand on a suivi les étapes de sa pensée, il passait du plan militaire – la bataille – au plan politique – la guerre. Sa vaste culture générale, une méditation concentrée, l'orientation de son esprit conforme à la tournure des événements, son tempérament de chef inné l'avaient, en réalité, fortement préparé à cette fonction.

En ces heures tumultueuses, le Ministère de la Guerre frémissait d'une angoisse fiévreuse : attachés de Cabinet, fonctionnaires, militaires, parcouraient les locaux en un va-et-vient continuel. Entouré de quelques officiers, qu'il dominait de sa haute stature, le général de Gaulle examinait une vaste carte des opérations fixée au mur et sur laquelle des petits drapeaux, déplacés d'heure en heure, jalonnaient l'avance irrésistible des Panzerdivisionen.

Devant ce tragique « Kriegspiel » qui ne lui enseignait que ce qu'il ne savait que trop bien, il demeurait lucide, impassible. Aucune parole d'amertume ne jaillit de ses lèvres, aucun geste de lassitude ne traduit l'affreuse rancœur qui aurait pu être sienne à voir l'ennemi triompher grâce à cette force mécanique dont il venait une dernière et vaine fois, quelques mois auparavant, de proclamer l'avènement.

L'heure est à l'action. Il s'agit maintenant de retarder la ruée des blindés ennemis. A défaut de chars, il cherche des avions. Nous manquons, en effet, des uns et des autres.

Résolument, le nouveau sous-secrétaire d'Etat, dont ce sera le premier acte purement politique, décide d'aller les demander à Winston Churchill.

Le 9 juin, il part pour Londres. Il ne restait là-bas que quatre cents avions que le Premier Anglais ne crut pas pouvoir distraire du sol britannique.

Les divisions cuirassées allemandes poursuivent leur marche inexorable vers la capitale. Le départ du gouvernement s'impose pour des raisons militaires.

Le 10 juin, peu avant minuit, Paul Reynaud et le général de Gaulle quittent Paris pour la Touraine. Le premier s'installe au château de Candé, le second au château de Beauvais, entre Tours et Blois, près de Bléré, chez M. le Provost de Launay : courte halte marquée par l'entrevue de Tours (Churchill, Halifax, Cadogan, Reynaud, de Gaulle, Baudoin) au cours de laquelle Reynaud informe Churchill que si, d'ici à 48 heures, l'Amérique n'avait pas déclaré la guerre à l'Allemagne, il devra envisager une demande d'armistice. Le lendemain, en effet, la radio transmet à Roosevelt (qui ne pouvait, d'ailleurs, prendre une décision de cette gravité sans consulter le Congrès) un suprême et vain appel de Paul Reynaud.

A dater de ce jour, le siège du général de Gaulle est fait. Sa décision est arrêtée. Il estime, comme il l'a maintes fois répété depuis, que, si la bataille est perdue, la guerre ne l'est point. « *La bataille est perdue sur le sol métropolitain mais, du point de vue de l'Empire tout,* disait-il, *peut encore être sauvé!* »

« *Plus j'y songe,* précisait-il, *plus j'estime que la seule issue possible est le retrait en Afrique; quant à signer un armistice, jamais je ne m'y résoudrai : ce serait à la fois déshonneur et folie. Certes, il se passera en France, durant l'occupation de l'ennemi, de très vilaines choses. Mais, si nous signons, dans quelle situation nous trouverons-nous? Nous aurons alors contre nous, non seulement l'Allemagne et l'Italie, mais l'Angleterre, l'Amérique et, un jour, la Russie et le Japon. Au contraire, de l'Afrique, à l'abri de la Méditerranée, nous pouvons reconstituer une armée française, pourvue de chars, d'avions, de munitions, par les alliés.* »

Déjà, il avait rédigé le projet de décret organisant le transport des jeunes classes en Afrique. Car l'une des caractéristiques du général de Gaulle, c'est l'aisance et la promptitude avec lesquelles il passe, une fois la décision prise, du stade de la conception, fruit d'une longue méditation, à l'exécution vigoureuse et sans arrière-pensée.

En quittant le château de Beauvais, il dit

à ceux qui l'accompagnent : *« Nous allons gravir ensemble ce calvaire. »*

Sur la bataille de France, il est véhément : *« Le plan d'opérations était une série d'enfantillages. On n'a même pas essayé de couper les blindés avancés de leurs arrières. »*

C'est le 14, ou le 15 juin qu'il repart pour Londres. Fort de ses convictions, il veut mettre au point le projet de mise en commun des ressources de deux Empires qui constituait pour lui le suprême recours.

Ce voyage, décidé au Conseil des Ministres tenu au château de Candé, soulève de violentes objections du général Weygand. C'est lui qui prétendait être qualifié pour aller à Londres. Il fallut que Paul Reynaud intervînt pour faire remarquer qu'il s'agissait non point d'un projet militaire, mais politique. Dans ces conditions, étant lui-même empêché d'y aller, en raison des circonstances, il était normal que ce fût son sous-secrétaire d'Etat à la Défense Nationale qui se substituât à lui.

Sur la possibilité du retour en France, par débarquement, une fois l'armée reconstituée au delà des mers, de Gaulle n'avait aucune inquiétude. *« Avec l'aviation,* disait-il, *l'opération sera, non seulement possible mais techniquement simple à réaliser.* » Et il affirmait cette possibilité avec la calme conviction qui l'animait tout entier lorsqu'il exposait ses projets. Ses conceptions hardies, jamais chimériques, étaient toujours imprégnées d'une audacieuse sagesse et d'un lumineux bon sens.

De Londres, après ses premières conversations avec Churchill, il téléphona à Bordeaux pour annoncer qu'il revenait avec un grand projet mis entièrement sur pied. Il annonçait son arrivée pour le lendemain.

Mais, les artisans de la capitulation s'étaient, entre temps, agités. Les hommes qui devaient crocheter le pouvoir à la faveur de la défaite arrachèrent, à Paul Reynaud, sa démission. Le maréchal Pétain qui avait déjà, dix jours auparavant, proposé à Paul Reynaud de le remplacer afin de solliciter de Hitler un armistice, était parvenu à ses fins.

Le 17 juin, le général de Gaulle, n'ayant même pas pu être reçu par le maréchal Pétain, s'envole pour Londres avec le général Spears et le lieutenant de Courcel.

Tour à tour prophète militaire, soldat et politique, penseur et homme d'action, le général de Gaulle a, depuis quatre ans — un siècle — maintenu la France dans la bataille; grâce à lui, elle peut aujourd'hui revendiquer sa créance propre sur la victoire commune.

Par là, il s'est acquis un titre impérissable à la reconnaissance nationale. Si notre pays n'est pas aujourd'hui réduit à la lamentable situation d'une province vassale de l'Allemagne et rayé de la carte de l'Europe, si nous pouvons encore être fiers d'être Français et si nous sommes restés dignes de nos ancêtres, c'est au général de Gaulle que nous le devons.

Mais le général de Gaulle n'a rien fait puisqu'il lui reste à faire, ou plutôt à refaire la France, à refaire l'Etat.

Cette œuvre de reconstitution à laquelle le pays unanime le convie, requiert *caractère, intelligence* et *foi.*

Seul le général de Gaulle peut y présider.

C'est que, par un privilège rare dans les annales de notre histoire, il a rallié l'adhésion des cœurs et celle des esprits; c'est qu'il est le lieu géométrique des aspirations françaises.

Paris, 25 *août* 1944.

Paris, 15 Janvier 1917

Mon cher ami, Vos félicitations et vos vœux m'ont particulièrement touché. Veuillez en accepter mes remerciements et tous mes souhaits réciproques pour l'année pour si peu l'An.

Vous êtes un homme étonnant. Évidemment l'après-guerre de municipalité, approvisionnement, ressources, reprise et rétablissement de votre échange d'idées avec l'organisation de munitions ! J'ai lu vos chroniques renouvelées. J'en suis resté baba de l'aimable chronique dont l'homme très haut placé de la Compagnie Générale que votre mariage offre aujourd'hui et de la facilité avec laquelle vous faites face en reviens de vous toutes notres anciennes difficultés, même une chose paraît, il me

LETTRE DU GENERAL DE GAULLE

Paris, 15 janvier 1927.

Mon cher ami,

Vos félicitations et vos vœux me sont particulièrement sensibles. Veuillez en accepter mes remerciements et tous les souhaits sincères que je forme pour vous à mon tour.

Vous êtes un homme étonnant. Comment après tant de mois écoulés avez-vous gardé le souvenir, et si précis et intelligent, de notre échange d'idées sur l'organisation du territoire!

J'ai lu vos observations renouvelées, j'ai relu votre lettre de l'année dernière et je demeure très frappé de la compréhension que vous marquez du sujet et de la valeur des remarques que vous faites.

Tout en faisant de celles-ci mon meilleur profit, je me permets d'insister pourtant sur ce que la conception de Vauban (le pré carré) avait de national et de systématique. Je reconnais avec vous que les places ont été choisies parfois parce qu'elles étaient déjà là, mais pourquoi y étaient-elles sinon parce que de tous temps elles barraient des passages et des routes?

Barrer les routes, voilà ce que voulut Vauban, et je persiste à penser que cette condition réalisée par lui dans le Nord a lourdement pesé sur la mobilité de nos ennemis fin Louis XIV et 1792-1793. En revanche, j'ai lu avec beaucoup de satisfaction la phrase de Vauban que vous citez à propos du nombre des places : « oui, il en faut peu, mais de bonnes ».

En attendant, on continue de ne rien faire dans cet ordre d'idées, pas plus du reste que dans les autres.

Voulez-vous agréer mes meilleures et cordiales amitiés.

C. de Gaulle.

TABLE DES MATIERES

Preface.	7
Avant-propos.	11
Chapitre I. – Un jeune officier. . . .	15
Chapitre II. – A l'école de la guerre.	27
Chapitre III. – Premiers essais	37
Chapitre IV. – Auprès du Maréchal .	45
Chapitre V. – Les années d'apostolat	63
Chapitre VI. – Vers l'armée de métier.	71
Chapitre VII. – La lutte.	93
Chapitre VIII. – Un chef.	117
Chapitre IX. – En manière de conclusion	135
Fac-similé d'une lettre du Général de Gaulle.	148